La cruz de San Andrés

Colección Autores Españoles
e Hispanoamericanos

Esta novela obtuvo el Premio Planeta 1994, concedido por el siguiente jurado: Alberto Blecua, Ricardo Fernández de la Reguera, José Manuel Lara, Antonio Prieto, Carlos Pujol, Martín de Riquer y José María Valverde.

Camilo José Cela

La cruz de San Andrés

Premio Planeta
1994

Planeta

Córcega, 273-279, 08008 Barcelona (España)

Diseño colección de Hans Romberg

Ilustración sobrecubierta: «Mujer con sombrero rojo», por Otto Dix, colección privada, Hamburgo, VEGAP, 1994

Primera edición: noviembre de 1994

Depósito Legal: B. 36.952-1994

ISBN 84-08-01243-6

Composición: Foto Informática, S. A.

Papel: Offset Munken Book, de Munkedals AB

Impresión y encuadernación: Printer Industria Gráfica, S. A.

Printed in Spain - Impreso en España

...what is this quintessence of dust? Man delights not me; no, nor woman neither.

SHAKESPEARE,
Hamlet, II, ii, 316

I

Dramatis personae

AQUÍ, en estos rollos de papel de retrete marca La Condesita, escribiendo con bolígrafo no se corre la tinta verde, ni la azul, ni la roja, no se corre la tinta, aquí en este soporte humildísimo se va a narrar la crónica de un derrumbamiento, ni la mansedumbre ni la fiebre hacen temblar la silueta ni el trasluz de nada, yo aguanto mucho, lo único que pido a Dios es que no me mande todo lo que puedo aguantar, yo soy capaz de aguantar más que un eunuco turco bien alimentado con carne de toro de Karabuk, las patronas de las pensiones de estudiantes dicen papel higiénico, yo sé que nadie es culpable de que nada ni nadie se derrumbe silenciosamente o con estrépito, eso es lo mismo; el gladiador que va a morir saluda al César con un corte de mangas porque también él juega y juzga y se ríe a carcajadas del César y de quienes van a escupir sobre su cadáver, sería espantoso imaginarnos a la humanidad demasiado sumisa, suenan los clarines porque ya empieza la misa negra de la confusión, el solemne acto académico de la más turbia de todas las confusiones, los sacerdotes se visten con muy austeros uniformes militares ribeteados de oro, las sacerdotisas cubren sus escuálidas y ajadas carnes o sus opulentas y tersas carnes con túnicas de terciopelo verdeceledón o rojo sangre bordadas en oro y con botones de oro, y los unos y las otras comulgan con hebras de carne de sucio cerdo infamante, en cada toalla aparece la cara de un muerto teñida de amarillo y sin afeitar y las campanas tañen albricias o doblan a muerto según las fases de la luna: se trata de contar un cuento al amor de la lumbre, la farsa debe representarse con sencillez para que el gran público se deleite, a las hienas hay que echarles vísceras podridas, bofe, corazón, mondongo, para que no se ensañen con las colegialas púberes y tristes, amargas, pálidas y desilusionadas.

—¿Por qué te ciñes tanto al pie de la letra?

—Lo ignoro.

—¿Por qué tu marido se tiñe el pelo de color ciclamen?

—Son figuraciones tuyas, mi marido no lleva el pelo teñido de color ciclamen sino limpio, tan sólo limpio.

No es que las mujeres vulgares no tengamos historia, los hombres tampoco, las mujeres vulgares lo somos a nuestro pesar e ignoramos los más pedestres conocimientos, lo que pasa es que no sabemos contar nuestra propia historia; a las ciudades y a los pueblos les pasa lo mismo y así resulta que unos son esplendorosos y rutilantes como el Paraíso Terrenal, otros opacos y deleznables como las aburridas y cándidas ánimas del purgatorio, y aun otros anodinos y mansos como las ovejas del matadero quienes, en su dulce y suplicante (inconsciente que no deliberadamente suplicante) mirar, parecen sonreír al matarife; los cerdos son más dignos y mueren estremeciéndose, sangrando y sufriendo, sí, pero también odiando, rugiendo y blasfemando, el odio, el rugido y la blasfemia deben ir siempre más allá del testimonio e incluso del estupor.

—Proceda usted a presentarse.

—Con la venia del señor presidente. Me llamo Matilde Verdú, mi madre también se llamaba Matilde Verdú, soy hija de soltera y no me avergüenza declararlo, mi madre era adorable y hacia ella no siento sino respeto y gratitud, también admiración y lástima, mucha lástima. Soy inspectora de primera enseñanza, mi madre también lo era y tenía mucha afición al ejercicio de la literatura, sus biografías para escolares de santa Teresa de Ávila y de san Juan de la Cruz tuvieron muy buena acogida, sobre todo la segunda. Mi abuelo era militar, era comandante de infantería y murió en el cumplimiento del deber durante la guerra civil, lo mataron en el frente de Huesca, le dieron un tiro en el pecho y murió en seguida, el asistente le cerró los ojos, eso fue lo que me dijo; nosotros nos quedamos en La Coruña porque tampoco teníamos a donde ir, en La Coruña no somos demasiado conocidos ni admitidos, La Coruña es una ciudad muy clasista y exclusiva, primero los coruñeses de la Ciudad Vieja, después los del Ensanche y después ya veremos. Eso es todo.

—Bien, puede retirarse.

Me armo de valor y de melancolía y confieso sin rubor alguno haber pecado contra todos los mandamientos de la ley de Dios, pero pienso que ya se me hizo pagar la penitencia a muy alto precio y que no sería justo que ahora, cuando me muera, ahora que ya oigo a la muerte repicar en el aldabón de mi cuarto de dormir y de morir, se me mandase al infierno a seguir ardiendo por los siglos de los siglos, es probable que el infierno esté vacío, en el infierno a lo mejor no está ni Judas y considero que sería muy desairado terminar allí, bueno, ni terminar siquiera: verme allí ardiendo en la infinita soledad y por la infinita eternidad. Hace ya más de un mes que el fantasma de la muerte se mea todas las noches por el tubo de la chimenea de mi alcoba, se conoce que quiere avisarme con sus histéricas risas, sus malévolas amenazas y sus descaradas procacidades. El demonio Belcebú Seteventos, que era de Seixosmil, en la provincia de Lugo, tenía una paloma torcaz que no ponía huevos de oro, eso son sólo algunas gallinas, es del dominio público que no ponía huevos de oro sino que fabricaba en el intestino peluconas de oro con el busto de Carlos IV muy bien dibujado, todos los primeros lunes de mes expulsaba una por su debido conducto. Según el cardenal Tarancón, nuestro catolicismo no está aún en condiciones de asimilar el concilio.

No es que las mujeres corrientes, las que pese a todo nos resistimos a morir en el hospital y mirando muy comedida y abyectamente a nuestros verdugos, no tengamos historia, no, lo que sucede es que no queremos contarla, tampoco sabemos, lo dije hace un momento. A mí y a mi marido ya nos quemó la sangre la familia, a mí y a mi marido ya nos crucificaron desnudos y como a san Andrés en una cruz en forma de aspa para que las golondrinas nos descubrieran la tupida y recóndita vulva y los escocidos testículos inmediatamente y nos los coronaran de espinosas y heridoras flores de cardo, ¡Jesús, qué disparate!, borra lo de las golondrinas y pon en vez moscas cojoneras, queda más propio.

Yo me voy a disolver o voy a arder, a lo mejor me voy a desvanecer como un suspiro de humo, eso no se sabe nunca y creo que es mejor ignorarlo, el porvenir es de los ignorantes y los suicidas, también de los negros hipogenitales, de los timidísimos lapones y de los enanos lascivos y patizambos, pero a mí no me importa nada el porvenir, es más, yo no tengo porvenir y tampoco me siento culpable de no tenerlo, a veces pienso lo contrario y entonces me duele la cabeza o me duelen los oídos o las muelas, nunca el estómago. A mí me va a acabar confundiendo el demasiado amor que siento por la novedad, sobre todo si acierta a vestirse de luto.

Si se tira una moneda al aire y salen siempre cruces, si salen cruces mil veces seguidas, se puede colegir que esa moneda es falsa o está endemoniada, ésta es la ley de Freyberg a la que se someten las monedas de cobre, de plata y de oro, no las de níquel, que es metal innoble, ni las de bronce de campana, que son escasas, muy escasas, éstas hacen excepción y no se rigen por la regla general o ley de Frienberg.

—De Freyberg.

—No, de Frienberg, antes me confundí.

Gardner Publisher Co., a través de la agente Paula Fields, con la que no me acosté porque, a pesar de lo que ella dejó entrever en determinados círculos vaticanos, no soy lesbiana, hace ya muchos años que no me hacen gozar las mujeres, fui lesbiana pero ya no lo soy, la agente Paula

Fields me encarga que escriba los siete sucesos que señalaron la vida de mi marido; a ningún marido le pasaron nunca siete sucesos interesantes y reseñables en su vida, una lesión tuberculosa en cada pulmón, un metrallazo en el pecho, la cárcel, el exilio, un hijo muerto en accidente náutico, otro hijo muerto de sida sobre un rimero de versos, el asesinato ritual de la propia esposa en la mesa del comedor y con un cuchillo de hoja ancha con punta, filo y contrafilo, un cuchillo no de matar osos o jabalíes sino de trinchar alces y renos asados al espetón, pero eso no importa, a mí me anticiparon mucho dinero, bueno, mucho dinero para mi exhausta bolsa, la verdad es que no llegó a los seiscientos mil dólares, y aunque al principio lo dudé, ahora que ya no me queda más que un año escaso de vida, eso es lo que dicen los médicos a mi marido y a nuestros hijos y nueras, todos crueles y avergonzados, todos ávidos y parásitos, acepto la propuesta y empiezo esta crónica desorientada y levemente ortodoxa: todos debemos someternos a las sabias normas dictadas por los comerciantes y los síndicos.

No sé por dónde empezar. Mi tía Marianita murió en la iglesia de los jesuitas de Juana de Vega durante la novena de la Virgen del Perpetuo Socorro, el quinto día de la novena, se atragantó con una almendra garrapiñada y se le cortó la respiración de repente, antes hizo unos raros sonidos, unos amargos ronquidos con la garganta, pero nadie le hizo caso porque creían que estaba de broma, mi tía Marianita era muy ocurrente y chistosa, cuando se le paró el corazón y se cayó al suelo la taparon con un abrigo y esperaron a que terminara la novena.

—¿Y no se movía?

—¿Cómo se iba a mover si estaba muerta?

Después la llevaron a su casa de la calle del Parrote, mi tía Marianita era amiga de doña Leocadia, la protectora de Javier Perillo, pero más decente y más cumplidora del deber.

—¿Para con Dios y los hombres?

—Pues, sí, quizá sí, por lo menos con Dios, quizá más con Dios que con los hombres.

No soy culpable de la almoneda que hemos hecho de los valores tradicionales, yo no soy sino una mujer de mal carácter, sé que no tengo amor, ni recibo ni doy amor, ni brindo amor, ni regalo ni vendo amor, ni incendio amor como si quemase ancianos muertos, hombres muertos, mujeres muertas, niños muertos, perros y cabras muertas en Benarés, lo sé de sobra, se conoce que mi cuerpo y mi conciencia están ya horros de buenas vibraciones, sé que se resquebrajó en mi espíritu el nivel vibratorio de la energía vital, yo no soy sino una mujer ya no joven y de mala salud, de muy mala salud, sé que en mi corazón anidan el odio, la envidia y el resentimiento, sé que no soy más que una agonizante, sé que mi cadáver acabará en la sala de disección del hospital entre jóvenes estudiantes muertos de risa, es muy gracioso llevarse un dedo de muerto en el bolsillo con uña y todo, llevarse el pene es más deslucido porque se queda en nada, y echárselo a la patrona de la fonda en la tartera del ragú, así se va uno sobreponiendo al asco.

—Recapacite usted en el hecho de que asesinar niños es menos comprometido y azaroso porque no suelen ver el peligro que los acecha, algunas niñas lo adivinan.

Ahora me doy cuenta de que he perdido la capacidad de mentir, se conoce que las circunstancias me vuelven la espalda al hedor de la derrota, tampoco debo hacerlo, no se debe mentir jamás, y también he perdido la otra capacidad, la de odiar y envidiar con paciencia, con muy severa y serena perseverancia, lo mejor sería desvanecerse como un quejido imperceptible y maldecir a los girondinos, a veces me gustaría haber nacido mujer muy elemental y fértil o muy sofisticada y yerma. Comandos israelíes dejan a medio Egipto sin energía eléctrica.

Vamos a considerar la situación con serenidad. El viento sopla con ira contra el rompeolas del Orzán espantando a las putas de la calle del Papagayo que tampoco son demasiado asustadizas, Marica la Caralluda de Valadouro, Trinidad la Madrileña, Carmela Conacha Brava y otras, todas capaces de plantar cara a un marinero inglés borracho; los cabritos del país suelen ser más mansos y complacientes, también más puntuales y considerados, aunque aún se recuerda el piano que tiró un señorito por el balcón, le ayudaron tres amigos, Moncho, Teófilo y Floro, y el cura castrense don Severino Fontenla, al que se le disparaba un poco un ojo.

—El del piano sería un señorito de buena familia.

—Claro; si no, ni se le hubiera ocurrido... Perdone, estaba usted hablando del viento del rompeolas.

Hoy es el sexagésimo tercero aniversario de la II República Española y los republicanos de la Peña Dicenta se reúnen a comer en La Criolla, en la calle de Fuencarral de Madrid, todavía quedan tres o cuatro, mi marido y dos o tres más, mi marido era republicano de Martínez Barrio, ha pasado ya mucho tiempo; el libro lo tengo que entregar el día 1 de setiembre, así que debo darme cierta prisa porque el zurriago del tiempo pasa volando como una gaviota.

—¿Incansable?

—Usted lo ha dicho, incansable como una gaviota a muchas millas de la costa.

El viento sopla y se vapulea contra el rompeolas del Orzán y los cantiles de la Torre de Hércules y la gente se agolpa con curiosidad porque la mar arrastra un cadáver de pantalón vaquero y con el torso desnudo, nadie lo ve pero en el pecho lleva tatuada una mujer de larga melena, los ahogados navegan siempre boca abajo y eso no es la ley de la gravedad, eso no tiene nada que ver con la ley de la gravedad. Loliña Araújo, la abuela materna de los cinco López Santana, el Araújo les venía después, estaba en primera fila, hasta le salpicaba el agua, le daba en los ojos y en el escote, la boca le sabía a sal y disfrutaba medio hundida en el raro y estruendoso silencio que la rodeaba, sólo oía el bramar de las olas y el latido del corazón en las venas de la frente, una a cada lado, en las sienes.

—¿Cuántos muertos se llevará la mar cada invierno?

—¿En todo el mundo?

—Sí.

—No sé, más de cien.

—¿Incluidos chinos y griegos?

—Sí.

A Loliña Araújo casi nadie le llama doña Loliña, la verdad es que el único que no le apea el tratamiento es Baldomero, el sacristán de la parroquia de Santa Lucía, en la plaza de Lugo, que es muy coqueto y que cuando sale de paseo se pone al cuello un fular de seda de color verde con dibujo de flores, tiene otro amarillo pero no lo luce más que cuando va a darse una vuelta por la plaza de María Pita, Baldomero Calvete parece un playboy, ahora los sacristanes no son como los de antes, ahora leen revistas del corazón y hacen crucigramas; Baldomero se bebe el vino de la misa y el aceite de las lamparillas, también se come las hostias sin consagrar, claro, las moja en el chocolate, y se masturba cruelmente, parece un perro lulú, en el confesonario del fondo, el primero de la izquierda según se entra de la calle, yo lo vi más de una vez, inciensándose las partes con tabaco de pipa, con aromático tabaco holandés, y medio ahogándose con todo muy cerrado, ésa es una mala costumbre que puede costarle la vida, ¡Dios no lo quiera!, a veces iba solo a verlo, no era difícil porque estaba muy ensimismado, muy a lo suyo, me daba mucho ánimo verlo, zas, zas, como si se le acabara el tiempo para siempre. En La Coruña pasan cosas muy raras, aun más que en Orense o en Zamora. A Loliña Araújo le dicen Faneca de apodo, a ella le gustan mucho las fanecas bien fritas en aceite de girasol, que es más barato. Loliña Faneca es gozosa y amorosa, siempre se sintió cómoda y reconfortada con un hombre al lado, con un hombre encima, ahora ya no los encuentra con tanta facilidad como antes, eso nos pasa a todas. Loliña Araújo es una mujer menuda, de moño bajo y aspecto modesto, el temple y la procesión le van por dentro, parece una artesana de Órdenes o de Betanzos o de Corcubión. Loliña Araújo no se lleva demasiado bien con Guillermina Fojo, su nuera.

Tengo que meter orden en mi memoria y en mis papeles, después también en mis papeles, hay que leer mucho a Platón y hay que liberarse con unos suaves ejercicios de yoga, unas bien medidas asanas después de la meditación y el canto, siempre en ayunas, antes de la salida del sol, tú analiza tus propias contradicciones y accederás al sosiego, pienso que lo mejor va a ser contar nuestra crucifixión a la pata la llana; en los libros antiguos todo se contaba a la pata la llana, los partos, las ejecuciones y los juramentos de amor eterno, lo demás, sería más prudente decir que casi todo lo demás, se declamaba levantando un poco la voz, no demasiado, y accionando muy rendidamente.

—¿Como un cómico alemán?

—Quizá mejor como un cómico austriaco.

Ahora es probable que me toque hablar de la incierta Clara, su verdadero nombre es Ermitas, pero ella prefiere que la llamen Clara, también le hubiera gustado llamarse Lucía, pero no tuvo suerte. La abuela paterna de los cinco hermanos López Santana se llama Ermitas, vamos, Clara Erbecedo Fernández. Clara Erbecedo es una mujer guapa y extraña, por aquí todas las mujeres son guapas y casi todas extrañas, por aquí todos los hombres son también guapos y extraños, muy extraños, a lo mejor pasa lo mismo por el mundo entero, los hombres y las mujeres del mundo entero son guapos, extraños y lascivos. Clara es una mujer que lee poesía y filosofía, toma mucho café y oye música clásica; también le gustan las retribuciones carnales y dicen que se acuesta o se acostaba con Evaristo, el jardinero, pero esto no lo sabe nadie, no se puede poner una mano en el fuego por estas cuestiones, tampoco se debe apostar jamás, contra el misterio no se debe apostar jamás, una noche se acostó en la playa de Riazor con un marinero que hablaba una lengua que no pudo saber cuál era, no era alemán ni holandés ni danés, a lo mejor era finés, estaba la marea alta y las olas le mojaron el culo, Evaristo también le hace de chófer y le sirve a la mesa; ahora pienso generalizando, cuando a la mujer le falta el horizonte se refugia en la cama o en la oración, nadie puede zafarse del cumplimiento de esta regla, el orden es el espejo de la voluntad de Dios y todas las mujeres queremos poner orden en nuestra carne mortal y en nuestra alma inmortal.

Clara Erbecedo vive sola en un chalet ya un poco viejo, con bastante huerta, en San Pedro de Nos; a veces pasa temporadas con ella su hija Mary Carmen, que está separada del marido; Mary Carmen tiene dos hijos que viven con el padre y a los que casi no ve, uno se llama Rodolfito y el otro Benjamín Carlos. Mary Carmen, cuyo verdadero nombre es Vicenta, se volvió loca durante el segundo embarazo, a algunas mujeres les sucede, y pasa temporadas en Conjo, lleva ya varias temporadas yendo al manicomio de Conjo, de donde se escapa siempre. Mary Carmen es ninfómana, bueno, medio ninfómana, eso tampoco es una enfermedad, y también se acuesta con Evaristo, todo el mundo lo sabe, yo lo oí en el bar de Xestoso, el que fue defensa de la Cultural Leonesa; una tarde su madre la encontró desnuda en el invernadero refocilándose con Evaristo y le pegó semejante botellazo que la mandó al hospital, la tuvieron que envolver en una manta y llevársela en un taxi; a Evaristo lo tuvo toda la noche encerrado en la galería sin más ropa que la camiseta y sólo lo dejó entrar cuando llevaba ya tres horas temblando y tosiendo y pidiendo perdón.

—¡Pasa, hijo de puta, pasa y caliéntate! ¡Anda, que si no fuera porque me das gusto!

Pelucas y postizos de señora y caballero Villamor, pelo de la mejor calidad. Un extenso surtido en variados colores naturales. Don Jacobo era hijo de don Cosme López Carreira y de doña Clara Erbecedo Fernández, esto del don y el doña se les pone porque hace más administrativo, no por ninguna otra razón, no había ninguna otra razón. Don Jacobo, de unos cincuenta años, quizá menos, era rubio y alto, tenía los ojos azules y nos resultaba muy atractivo a las mujeres, no tenía una mirada cachonda pero estaba bueno, esto es siempre muy convencional. Don Jacobo se cuidaba mucho, hacía gimnasia respiratoria y de la otra, vestía con elegancia y siempre con ropa a la medida, y se daba desodorante y fijador y agua de colonia, también se duchaba, primero un día sí y otro no y luego a diario. Don Jacobo gastaba bigote e iba siempre de sombrero flexible gris, a misa solía llevar un sombrero negro y algo más rígido parecido al de mister Eden, a veces también llevaba bastón con puño de plata, una cabeza de lebrel de plata.

Las cosas hay que apuntarlas cuando se le ocurren a una porque después puede ser tarde. El hombre no es un buen invento, ahora no hablo de don Jacobo sino del hombre en general, la mujer tampoco, ahora no hablo de doña Loliña ni de su hija Eva ni de mí sino de la mujer en general; a Shakespeare no le gustaban ni el hombre ni la mujer, el hombre y la mujer no son sino la quintaesencia del polvo mortal en el que todos acabaremos convirtiéndonos, no es posible que el hombre y la mujer hayan sido creados por Dios a su imagen y semejanza, Dios no admite tal cúmulo de imperfecciones, sería ir contra su propia esencia, la infinitud de Dios no da cobijo a los fallos infinitos, los fallos no son nunca infinitos aunque lo parezcan, la noción de Dios no puede dar asilo a los fallos que empiezan antes del hombre y terminarán después de que el hombre haya desaparecido, pero que tienen principio y fin y, por tanto, no son infinitos.

A don Jacobo, de joven, cuando trabajaba de contable en Pescados Marineda, en el muelle de La Palloza, le llamaban Santiaguito, que es más corriente, el nombre se lo cambió después, al empezar a dedicarse a la construcción, y el don le vino con el dinero, el dueño de Pescados Marineda se llamaba Camilito Méndez Salgueiro, le llamaban en diminutivo porque era joven y poca cosa, Camilito había heredado el negocio de su padre y quebró por culto, se pasaba el día leyendo libros en francés y así no hay manera, lo último que leyó fue *La politique de Ferdinand le Catholique Roy d'Espagne,* en una edición holandesa del siglo XVII, así no hay manera; don Jacobo, en cambio, ganó mucho dinero en poco tiempo y se hizo socio del Circo de Artesanos, del Sporting, del Club Náutico, del Deportivo, de la Hípica, de la Zapateira, de la Solana, de todo; donde no pudo entrar fue en el Nuevo Club, que desapareció al poco tiempo aplastado por la vejez y el orgullo; el Nuevo Club estaba en la calle Real, entrando por el Cantón, a la derecha, un poco más allá del Sporting y del café Méndez Núñez, donde ahora luce su escaparate la ampliación de la joyería Malde.

—El Nuevo Club era una cueva de carcamales.

—Sí, pero usted bien que quiso entrar y le dieron con la puerta en las narices.

—Sí, eso sí.

Don Jacobo era listo y trabajador, además de bien parecido, y prosperó muy de prisa. Construcciones L. Erbecedo nació con buen pie y don Jacobo, que vivía en un pisito interior en el barrio de La Gaiteira, tan pronto como pudo hacerlo se compró una casa entera en Linares Rivas, frente al mar, y se quedó con dos pisos que unió por dentro y decoró con buenos muebles y mucho detalle, hasta tenía un cuadro de Sotomayor y otro de Seoane. Dicen que don Jacobo, en eso del vicio de la lujuria, hacía a pelo y a pluma, yo no lo creo, eso es siempre muy misterioso, y también dicen que había tenido sus más y sus menos con Evaristo, el garañón de su madre y de su hermana Vicenta, o sea Mary Carmen; si se pudiese llevar al detalle la lista de las soledades y el puntual inventario de los malos pensamientos y las inconfesables y escondidas realidades, nos íbamos a llevar todos muchas sorpresas.

—¿Usted pondría una mano en el fuego por todo lo que está diciendo en voz alta?

—No, jamás, ya le dije antes que no, la mano en el fuego no se debe poner por nada ni por nadie y menos en estos lances tan fáciles de inventar y de negar.

Don Jacobo se casó con doña Eva y tuvieron cinco hijos. Don Jacobo y su familia iban de vacaciones al Mediterráneo, unas veces a Torremolinos, otras a Benidorm, otras a Ibiza, les gustaba variar y conocer sitios, y no se privaban de nada. Don Jacobo tenía tres coches, un Mercedes, un Dodge y un Seat, los tres eran grandes y los llevaba siempre muy limpios. Su hija Matty le pidió que le comprase un deportivo, pero le dijo que no, que no quería que se matase con su dinero, y tuvo que conformarse con un descapotable. En el año 1969, en julio de 1969, el hombre llegó a la Luna y pudo ampliar aún más todavía el ámbito de su necedad, el hombre no sabe gobernar, ni pacificar, ni alimentar la Tierra, tampoco sabe curar o prevenir el cáncer o el sida, entonces aún no había sida, pero acierta con el camino de la Luna, cada vez es más dilatado y vergonzoso el horizonte de su estúpido orgullo.

A don Jacobo, cuando ya no era ningún niño, empezó a fallarle el matrimonio, nadie sabe por qué ni por culpa de quién y eso tampoco importa, bien mirado eso tampoco importa, en eso pueden influir muchas cosas, el aburrimiento en primer lugar, el sistema nervioso, las diferentes costumbres, el olor del aliento, también puede ser que a uno de los dos o a lo mejor a los dos a la vez les entren las ganas de juerga no doméstica, usted ya sabe lo que quiero decir, o le dé la vena de querer arreglar el mundo, eso es peor porque terminan trabajando de balde y sin mayor provecho, para eso están la convivencia armoniosa, el incremento de la energía vital, la ingestión de alimentos naturales, los paseos contemplativos, etc., los redentores mueren siempre en la cruz, poco debe importarnos, el caso es que la pareja, en vez de conformarse, que hubiera sido lo decente, también lo prudente y lo acostumbrado, se separó de mutuo acuerdo, se conoce que ninguno de los dos tenía principios y que ambos eran medio soñadores. Por entonces ya estaban casados el hijo mayor, Diego, o sea Pichi, y las dos hijas del medio, Marta y Claudia, o sea Matty y Betty Boop, y seguían solteros el otro varón, Paquito, o sea Fran, y la hija pequeña, Rebeca, a la que llamaban Becky; las mujeres tenían diminutivos ingleses.

—¿Era moda, entonces?

—Bueno, en algunas familias, no en todas.

Don Jacobo, cuando se separó de Eva, se fue a vivir a otro piso de la casa de Linares Rivas, pero al año o poco más se trasladó a Vigo, donde también tenía obras. En Vigo conoció a una amiga de su hija mayor, Ofelita Barcia, y al poco tiempo se la llevó a vivir con él; antes se pasaron quince días en las Bahamas, se conoce que para experimentar y acostumbrarse. El cardenal Villot es nombrado nuevo secretario de Estado del Vaticano.

Eva era una mujer muy guapa, se parecía a Ava Gardner, tenían las dos el mismo estilo elegante y despótico, los hombres volvían la cabeza al verla pasar por la calle, pero a la pobre le sirvió de poco tanto éxito porque las cosas acabaron rodándole mal. Eva y su marido formaban una pareja de cine, daba gusto verlos. Eva vistió toda su vida impecablemente, siempre elegante y adecuada, Eva cuidaba mucho su físico, lo cuidó toda la vida hasta que se desinfló, en eso era igual que don Jacobo, Eva va al gimnasio y a la sauna, hace natación y footing, ahora se suele decir jogging, yo no sé cuál es la diferencia, se da masajes, come sin sal y prefiere los vegetales a cualquier otro alimento, no es que sea vegetariana, no, pero procura no comer carne, Eva fuma sólo por coquetería y, eso sí, bebe todos los días su dry martini, antes no pasaba de la media combinación en el bar América, poco después cerraron el bar América, en La Coruña se va cerrando todo poco a poco, eso pasa en todas partes, Eva es simpática, graciosa y habladora, Eva también sabe sus cosas y las maneja con oportunidad, las dosifica con acierto y prudencia, Eva es muy extravertida, pero sabe ser discreta cuando quiere. Sus hijos tienen mucha confianza con ella, más las hijas que los hijos, eso nos pasa a todas las madres, y ella les regala vestidos y zapatos y se cobra en cariño y complicidad, hay una complicidad tácita que es muy peligrosa y puede conducirnos al crimen incluso con suavidad, con mucha suavidad.

—¿Usted cree que los crímenes se preparan siempre en silencio?

—Sí, los buenos crímenes, sí, y los demás, ¿qué importa? Se preparan siempre en silencio, como bien supone, y con muy delicada discreción, tanta, que a veces no se destapa el propósito hasta el instante mismo de la puñalada o el veneno, la prudencia no está nunca de más, la prudencia es un firme aliado.

Yo entonces me quedé muy pensativa.

—Es horrible admitir que lo que usted dice sea verdad.

—Defiéndase no creyéndolo.

Cuando Eva se separa del marido se queda a vivir en la casa de Linares Rivas y empieza una ansiosa y enloquecida carrera de juergas y de viajes al extranjero con otras amigas también ricas y separadas; Eva, que se sepa con certeza, tuvo alguna relación amorosa esporádica, pero ninguna llegó a cuajar, ninguno de los amantes le duró más de dos o tres meses. Un día, y aprovechando que su hija Matty y su marido estaban de viaje, se fue a casa de ellos a pasar la tarde en la cama con un amigo; su yerno llegó antes de lo esperado y al oírlos se dio la vuelta antes de entrar en la alcoba. Al día siguiente, cuando se encontró con la suegra, la felicitó porque había creído que estaba con don Jacobo y en plena reconciliación.

Su amiga Ana María Monelos, viuda de Méndez Gil, su marido era joyero y se suicidó tirándose por una ventana desde un sexto piso, es un suicidio muy de joyeros o de aparejadores, la gente lo contaba muerta de risa, yo la verdad es que no le veo la gracia, su amiga Ana María Monelos, que no faltaba a ninguna de las juergas que organizaba Eva en su casa, una noche le pidió permiso para llevar a un amigo.

—Se llama Julián y es un hombre estupendo, ya verás, culto, educado, muy fino y muy animado también, que todo hay que decirlo.

—Sí, mujer, tráelo, basta que sea amigo tuyo.

La juerga de aquella noche arrancó con mucha lentitud y tampoco se desorbitaron demasiado las cosas: se bebió sin exceso, se oyó música, se bailó, se fumó marijuana, no todos fumaron marijuana, Julián no fumó marijuana y tampoco se acostó ni con Ana María ni con nadie, ni lo intentó siquiera, Julián era encantador y comedido, daba gusto con él, bailó un poco, habló mucho con Eva, más incluso que con Ana María, y se marchó no muy tarde.

—Adiós, Eva, te agradezco mucho tu invitación. Te dejo este brazalete de recuerdo, por dentro lleva la fecha de hoy, que puede ser un día muy señalado para ti, te aseguro que no es una declaración de amor sino algo mucho más trascendente..., el aro no vale nada, es un trabajo nepalí, el único valor que tiene es su autenticidad, con él no te sentirás sola nunca. ¿Tú te das cuenta de la inmensa soledad que a todos nos invade, que a todos nos atenaza? Tú celebras estas reuniones para huir de la soledad, pero no sé si lo consigues. Me gustaría volver a verte algún día.

—Yo encantada, llámame por teléfono cuando quieras. Y déjame el tuyo, a lo mejor soy yo quien te llama.

En la tarjeta que le dieron a Eva se leía: *Julián Santiso Faraldo. Escuela de Albores Gamma-Delta-Pi. (Comunidad del Amanecer de Jesucristo.) Maestro ínfimo,* el número de teléfono se lo puso a mano.

El mayor de los hermanos López Santana, los hijos de Eva y don Jacobo, se llama Diego pero todo el mundo lo conoce por Pichi, en La Coruña está muy extendida la costumbre de conocer a la gente por un apodo cariñoso, Pichi, por ejemplo, casi no es ni apodo. Pichi López es un chico algo raro, tímido, muy metido en sí mismo, de carácter débil, con poca voluntad; empezó a estudiar primero para perito agrícola y después para maestro de escuela pero no terminó ninguna de las dos carreras, se aburría en seguida, la verdad es que no tenía constancia. Un día fue a su casa la chica de la droguería a llevar dos botellas de agua oxigenada y un paquete de algodón en rama y la intentó violar, fue él quien le abrió la puerta porque la vio venir y notó como una calentura, la aculó contra el perchero, le rasgó la blusa hasta dejarle las tetas al aire, le remangó las faldas, se sacó la polla y, ¡hala!, la chica se resistió y gritó y allí no pasó nada, pero la puso perdida porque se le corrió por encima de las bragas y de los muslos. Pichi, todavía joven y antes de que se separasen sus padres, se casó con Matilde Meizoso, que era de Ferrol y cursi, gorda y autoritaria; las ferrolanas suelen ser airosas, delgaditas y de cariñoso carácter, pero Matilde no era así sino más bien todo lo contrario. Matilde era también violenta y muy animada, muy vociferadora y excesiva; a Pichi le gustaba que le diese marcha y lo llevase por los bares a tomar unos vinos, pero sin pasarse demasiado porque cuando le pegaba tortas y patadas, a veces también le sacudía con el rodillo de las empanadillas, como en los tebeos, y le tiraba platos a la cabeza, él lloraba sin recatarse ni importarle que hubiera nadie delante. Matilde tomó el mando del matrimonio y llevó al marido por la vida con bastante acierto, le hizo trabajar, lo llevaba relativamente arreglado y sobre todo lo medio salvó de la locura que ya empezaba a destruir su familia. Matilde y Pichi tuvieron una niña, Esther, con una hache después de la te, que es todavía muy pequeñita pero no parece normal, hay familias en las que todos son un poco raros. Parrilla del Hotel Embajador. Gran Baile amenizado por la Orquesta Atlántida con J'Hay.

A Francisco, el menor de los dos López Santana varones, después vienen las tres hembras, le llaman Fran, que queda más fino y más moderno que Paco. Fran, hasta que se torció, bueno, hasta que lo torcieron, era un adolescente sano y simpático, estudiante de náutica, que iba los domingos a ver al Deportivo; si al equipo le tocaba viajar, Fran se pasaba la tarde jugando al futbolín con los amigos y, si no tenía dinero, se metía en la cama a meneársela, fumar pitillos y leer novelas de Salgari, por entonces aún no se había echado novia; a Fran le gustaba mucho Silvita la de Dopico, el de la confitería La Noyesa, pero todavía no eran novios y ella, como es de sentido común, no se la meneaba; Silvita le regalaba a Fran chicles y gominolas y él para corresponder le tocaba algo el culo, la verdad es que sin demasiado entusiasmo.

Ahora es el momento de contar la merienda de Javier Perillo en casa de doña Leocadia, el padre Castrillón, S. J., bien claro me lo dijo, doña Leocadia vivía en la calle de la Amargura esquina a Puerta de Aires, la gente tenía la mala costumbre de mearle el portal y lo ponía todo perdido, doña Leocadia tomaba el té por las tardes, asistían algunas amigas suyas, unas viudas y otras no, yo el año pasado fui un par de veces, y algunos jubilados, un día un coronel, otro un capitán mercante, otro un jefe de negociado de la diputación, otro un funcionario de correos, etc., se repartían los días de la semana con cierto orden, unos iban con sus señoras, a Javier Perillo no le daba té sino chocolate a la española y unas galletas, media docena de galletas de coco; Javier Perillo, cuando terminaba de merendar, se despedía pero no se iba a la calle sino que se metía disimuladamente en el cuarto de doña Leocadia y la esperaba armado de paciencia, a veces doña Leocadia tardaba tres horas o más, los invitados de doña Leocadia recitaban poesías y contaban chascarrillos, don Alfonso, que era comandante de oficinas militares en la reserva, se tiraba pedos por lo bajo, se dice que don Alfonso pretendió hace años a doña Leocadia pero fue desairado, doña Leocadia siempre gobernó sus favores con mucho comedimiento, Fran era amigo de Javier Perillo, era algo más joven, algunas tardes jugaban al chapó o al ajedrez en el Sporting, a doña Leocadia le gustaban los hombres de veinticinco años o menos que fueran finos y respetuosos, en la cama vale todo pero fuera de la cama no vale nada o casi nada, los trataba con mucha consideración y les regalaba corbatas y gemelos, pero no toleraba ordinarieces, esto que queda dicho lo sabía todo el mundo pero no lo comentaba nadie, a Javier Perillo lo vestía y le estaba pagando la carrera de perito mercantil.

—Mientras apruebes y te sigas portando bien no habrá problemas, tú verás lo que haces.

Javier Perillo sólo tuteaba a doña Leocadia a puerta cerrada y a solas, al principio le costaba algo de trabajo, delante de la gente la trataba siempre de usted y no se equivocaba nunca.

—¿Y los invitados de doña Leocadia sabían estas interioridades?

—Yo creo que sí pero disimulaban, estaban bien educados, para mí que lo sabíamos todos.

La hermana pequeña de Fran se llama Becky, Rebeca, y era una niña monísima, hoy es ya una mujercita que vive con su novio, creo que trabaja en Agricultura, Pesca y Alimentación como secretaria de alguien, su novio se llama Roque Espiñeira y también es funcionario, está en las oficinas de la Escuela de Artes y Oficios, ahora tiene un nombre más largo. Matty, su hermana mayor, adora a Becky, es para ella una segunda mamá, cuando la niña era pequeña la vestía, la peinaba y la sacaba de paseo.

—La trataba como a una muñeca.

—Usted lo ha dicho, delicadísimamente, como a una muñeca de China, antes había muñecas de finísima porcelana.

Toda la ternura del mundo tropieza al final con el mismo mundo, a los caballos también los manean para que no se vayan demasiado lejos, en una cárcel inglesa parió una reclusa con las esposas puestas, los carceleros fingieron que temían que se escapara y aprovecharon para reírse un poco; Becky hubiera llorado con desconsuelo de haberse enterado del parto de la reclusa.

—¿Se llamaba Mary Berriedale?

—No sé, ¿por qué iba a llamarse Mary Berriedale?

—No sé.

—Si esto fuera una novela, ¿no podríamos hacer que se llamase Mary Berriedale?

—Tampoco lo sé, quizá sí.

Nadie se confiesa jamás pecador, a veces lo fingen pero en el fondo de su conciencia saben que están mintiendo. Yo confieso con no poco rubor que he pecado menos de lo que hubiera querido contra los diez mandamientos de la ley de Dios, pero pienso que ya pagué un precio incluso excesivo en humillación y en dolor y que no sería justo que al final se me mandara a arder en el infierno rodeada de soledad; no quiero sublevarme contra nada, pero advierto que todos llevamos dentro un verdugo y un animal venenoso, acabo de matar una avispa y el zumbido de sus alas sigue sonando en mi corazón, es probable que lo oiga durante dos o tres horas. El demonio Lucifer Taboadela, que era de Escornabois, en la provincia de Orense, tenía mil cajas de zapatos y otras mil de puros habanos llenas de gusanos de seda para vestir siempre con muy ricas túnicas, como si fuera un rajá de la India.

Loliña Araújo y Ermitas Erbecedo, Clara Erbecedo, las abuelas de los López Santana, siguen vivas, gracias a Dios, y disfrutando de la vida cada una a su manera; las dos acabarán muriéndose de cáncer pero todavía lo ignoran, la verdad es que el cáncer tampoco las ha avisado todavía, cáncer de mama y cáncer de útero, todo esto es lo mismo, zaratán y espigaruela, lo malo es que le muerda a una, el cáncer no es una enfermedad sino una víbora.

Loliña y Clara son amigas además de consuegras, aunque no se frecuentan mucho, Clara va algunas tardes a tomar el té a casa de doña Leocadia, allí conoció a Javier Perillo y una noche se lo llevó a su chalet de San Pedro de Nos.

—No hagas ruido, aquí mando yo, pero quítate los zapatos, no hagas ruido.

—No.

Por ejercicios de tiro de mortero, de 7 de la mañana a 5 de la tarde, durante los días 2, 9, 16, 23 y 30 del corriente mes, se declara zona peligrosa para la navegación la comprendida entre los meridianos de la isla de Izaro y peña de Ogoño, en una profundidad de 7 000 metros. Clara y Javier se metieron en la alcoba y entraron en el cuarto de baño.

—Si quieres hacer pipí, me voy.

—No.

—¿Quieres hacer pipí?

—No.

—¿Quieres hacer pipí delante de mí? ¡Me gustaría tanto!...

—No puedo.

—¡Qué vamos a hacerle!

Clara, de rodillas en el suelo, lo bañó muy delicadamente, muy parsimoniosamente, le dio jabón en los sobacos, en las ingles, entre los dedos de los pies, en todo el cuerpo menos en los ojos, Clara lo besaba casi con reverencia.

—¿Me dejas que te llame Fifí?

—¿Por qué Fifí? Bueno, como usted guste.

A Clara se le pintaron las mejillas de arrebol.

—Tutéame, no seas tonto, ¿no ves que me estás poniendo cachonda?

—Como gustes.

Clara sonrió casi pensativa.

—Tú también estás cachondo. Te prometo que no te llamaré Fifí más que a solas, tú no preguntes, no se debe preguntar nunca nada porque trae mala suerte.

—Vale.

Clara y Fifí se amaron sin remordimientos, después, al cabo de media hora larga, la mujer se quedó con la mirada fija en el techo y dijo:

—¿Qué tal van tus estudios?

—Van bien, gracias.

Clara se calló durante medio minuto.

—¿Conoces a Dora, la de don Leandro?

—Sí.

—¿Es cierto que te has acostado con ella?

—¿Quién le dijo a usted eso?

—Tutéame.

—¿Quién te dijo a ti eso?

Clara volvió a guardar silencio unos instantes; las pausas suelen huir de las descripciones, suelen descolocarse, nadie acierta a ponerlas en su lugar debido, las pausas son igual que los ciempiés, que huyen siempre en zigzag y como desorientados. A Clara, cuando cogió la costumbre de llamar Fifí a Javier Perillo, siempre en el chalet, gozaba acariciándole las orejas después de hacer el amor, Clara también le daba chocolate, no a la española sino a la francesa, más claro y suave, se lo daba a la boca porque era muy maternal, las mujeres muy maternales están siempre dispuestas a adorar al hombre, a entregarse al hombre, a gozar haciendo gozar al hombre. Clara, en estas situaciones, hablaba con voz mimosa, casi en falsete, a veces daban ganas de partirle la cara.

—¿No te das cuenta, Fifí, de que Leocadia, que es una cursi, lo de menos es que sea una puta, te está chuleando?

—No digas eso, mujer.

—¡Lo que faltaba es que también te chuleara Dora! ¿Te regala corbatas y llaveros?

—No digas eso, mujer.

A Clara, de vez en cuando, le gustaba hablar mirando para el suelo y dejando caer las palabras muy lentamente.

—Lo digo porque es verdad, el chulo deberías ser tú, Fifí, que eres el macho y además el joven, lo que no puedes ser es el chuleado, ¿no te da vergüenza?, las viejas estamos para pagar y dar las gracias. Dora es tan cursi y tan puta como Leocadia y las dos son tan viejas como yo, más viejas que yo. ¿No te da vergüenza?

—No digas eso, mujer.

Clara, desnuda y despeinada, estaba incluso hermosa.

—¿Quieres un whisky?

—Prefiero una ginebra.

—¿Con tónica?

—Bueno.

—¡Nada de bueno! ¿La quieres con tónica?

—Sí, gracias.

Clara, al poco rato, al cuarto de hora o así, se puso una bata blanca muy elegante llena de bordados, parecía un camisón. Clara también se preparó una ginebra con tónica y cambió el tono de sus palabras, se conoce que volvía a su natural amoroso.

—¡Qué gozada, Fifí! ¡Qué joven haces que me sienta!

Clara puso *Cascanueces,* de Tchaikovsky, en el tocadiscos, y bajó la voz para hablar, casi no se le oía.

—¡Qué golfa soy, Fifí! Poco a poco irás sabiendo que soy una vieja golfa. El marinero que se acostó conmigo en la playa de Riazor, esto ya te lo conté, y que no supe si era alemán, holandés o danés, tampoco sueco ni noruego, resultó que era finlandés, se llamaba Erkï, esto me lo contaron más tarde, esto me lo contó Ortiz, el de Efectos Navales, y tenía en el pecho un tatuaje de una mujer desnuda y con larga melena y debajo un gallardete con el yugo y las flechas de los falangistas y un nombre: Dolores. Aquella noche estaba la marea alta y las olas me mojaron las tetas, tú ni te imaginas, Fifí, cómo me las pusieron, yo ni me quitaba siquiera. Erkï también tenía otro tatuaje, éste en el brazo: un ancla con una serpiente enroscada.

Clara se fue callando poco a poco y después se quedó dormida; Javier apagó el tocadiscos y la luz y también se durmió, no se despertaron hasta las nueve de la mañana y volvieron a amarse.

—Eres insaciable, Fifí.

—¡La insaciable eres tú, amor mío, vieja mía, cachonda mía!

—¡Me has llamado amor mío, vieja mía, cachonda mía! ¡Soy tuya, Fifí! ¡Cómo te quiero! ¡Qué feliz me haces!

Estuvieron en la cama hasta las doce, abrazándose y besándose y amándose.

—Sal por esta puerta. ¿Tienes para un taxi?

—Sí.

Entonces Matilde Verdú recibió la orden de continuar con el hilo del cuento, las órdenes las da quien puede y debe hacerlo y nadie más.

—Proceda usted a seguir enumerando los personajes del drama, por ahora sólo hable de los de carne y hueso.

—Con la venia del señor presidente en funciones.

La relatora adoptó un aire casi tribunicio y carraspeó un poco para aclarar la voz; después siguió escribiendo, esto que se dice del ademán y la voz no es más que un subterfugio. Matty, la mayor de las niñas López Santana, no fuma ni bebe.

—¿Y no fumó ni bebió nunca?

—Nunca jamás.

Matty es rubia, de facciones delicadas y sonrosadas, bien hecha, con las tetas muy en su sitio y el culito respingón, en eso es igual que su madre, los hombres vuelven la cabeza al ver pasar a cualquiera de las dos. Matty sabe arreglarse con mucho gusto y tiene el armario y el tocador lleno de trajes y zapatos, de cremas y perfumes, el padre le abrió cuenta en las mejores boutiques y zapaterías y perfumerías de la ciudad. Matty estudió primero en las josefinas y después en el instituto Da Guarda, pero no pasó de quinto curso; del instituto la echaron porque la sorprendieron masturbando a un bedel debajo de la escalera, tenía quince años y cuando la pillaron empezó a reírse a carcajadas y salió corriendo y alborotando. Después se apuntó en una escuela de secretarias, obtuvo el título pero no llegó a trabajar nunca. Su amiga Emilita, que era algo mayor que ella, le proporcionó un puesto eventual en Obras Públicas, pero a los diez o doce días lo dejó porque eso de tener que sujetarse a un horario no iba con ella; también empezó a tomar clases para sacar el carnet de conducir, pero tampoco llegó ni a examinarse.

Antonio Bienvenida vuelve a los toros, así lo asegura un amigo suyo de Venezuela. Las beatas llamaban Licorín al demonio Satán Vilouzás, que era de Vimianzo, en la provincia de Pontevedra.

—Dispense, Vimianzo es de la provincia de La Coruña, queda en el camino de Muxía, más allá de Carballo y antes de llegar a Corcubión.

—Bueno. El demonio Satán Vilouzás, o sea Licorín, preñaba a las mozas sólo con mirarlas.

—¡Vaya! ¿Y por qué le llamaban Licorín?

—Eso no lo sabe nadie, pero es lo mismo. A Licorín le gustaba andar por los pueblos, rara vez entraba en las ciudades, por eso libraron las señoritas de La Coruña.

Matilde Verdú llamó aparte al árbitro y le habló al oído.

—Eso de que don Jacobo le compró un descapotable a su hija Matty no debe ser cierto porque ella, como le digo, no sacó nunca el carnet de conducir.

—Tiene usted razón, dejemos así las cosas, dejemos las cosas como están porque no merece la pena querer aclararlas, incluso podría ser peor.

—Vale.

Matty lee a Rabindranath Tagore, aprende frases de memoria y después las repite como si fueran suyas. Por el verano vienen unas amigas de Madrid y salen con Matty, el tiempo es algo que siempre confunde, ya lo decía el padre Castrillón, el paso del tiempo desfigura los recuerdos y hasta las intenciones, esto que ahora se dice aconteció no en dos o tres días sino en dos o tres años. La madrileña Shell se llama Concha, claro, pero a ella le parece muy vulgar; Shell es bellísima, espiritual y delgada y lleva una larga melena negra que gusta mucho, queda un poco agitanada pero en fino y gusta mucho, Shell lee las poesías de Bécquer y de Juan Ramón Jiménez y estudia económicas, llegó a trabajar en el Banco de España, pero lo dejó al casarse porque tuvo gemelos y estaba muy atada, su marido es abogado del Estado y muy guapo, va siempre muy bien vestido, muy elegante, se llama Claudio, pero su apellido la verdad es que no lo supe nunca. Las hermanas María Luisa y Raquel, también madrileñas, son muy divertidas y no tienen mayores complicaciones mentales, lo que quieren es pasarlo lo mejor posible, las dos estudian informática. María Luisa tuvo un novio coruñés, Juan Antonio Varela, que tenia negocios de cine, era el dueño de Distribuidora Cinematográfica San Amaro, Matty se lo ligó sin pensárselo dos veces pero después lo encontró algo tosco, también algo cutre y avaricioso, y lo dejó de golpe, entonces Juan Antonio volvió con María Luisa. Matty coleccionaba amores, yo recuerdo cinco o seis, Matty idealizaba a los hombres tan pronto como los conocía, le gustaban mucho los hombres y tenía poca voluntad, más bien ninguna. Gabriel Couce no le hizo nunca demasiado caso sino que más bien la tomaba un poco a broma, servía para el cachondeo pero para poco más, Gabriel Couce era licenciado en derecho y quería hacer unas oposiciones a algo, no a notarías ni registros ni oficial letrado del Consejo de Estado, sino otras más fáciles, judicatura, secretario de ayuntamiento, secretario judicial, diplomático también está bien pero no sabe idiomas, Gabriel Couce prefiere ver venir las cosas más bien con calma, no debe uno apurarse nunca y menos con los asuntos importantes. Rafa Abeleira quería ser periodista, a veces le publicaban algo en *El Ideal Gallego,* él lo que buscaba era que lo metieran en la redacción para después ir haciendo méritos; Rafa y Matty se amaban en el campo, iban hasta las leiras de Nostián, más allá de la Maxillosa, buscaban unas piedras o unas silvas tras las que guarecerse, se desnudaban, tomaban el aire y el sol y se amaban durante horas y horas, durante muy largas horas, el mes de agosto es bueno para amarse en el campo, frente a la mar por donde pasan los barcos que van y vienen, el congelador Yeyo, con pescado, de África del Sur, el Sota Poveda, en lastre, de Villagarcía, el tanque Ildefonso Fierro, con crudos, de Sider, el Campoalegre y el Camporrojo, con gasolina, para Cádiz y Valencia, a los barcos se les puede saludar en cueros vivos porque van a lo suyo, a lo mejor los marineros se ríen pero es igual porque van a lo suyo, se van ganando la vida navegando por la mar abajo; en las piedras de la Maxillosa, entre los pulpos y los percebes, entre las medusas y los hipocampos, fue donde aparecieron una mañana tres niños negros ahogados, los trajo la mar hasta la costa, a lo mejor los tiraron desde un carguero griego, ¡vaya usted a saber!, o liberiano, lo más probable es que los tiraran vivos, no sé por qué pero me parece que es lo más probable, el suceso no se aclaró nunca, en el juzgado le echaron tierra encima porque la verdad es que la cosa tampoco merecía la pena. Un día una avispa le picó a Rafa en los testículos, bueno, en el escroto, y el muchacho empezó a revolcarse de dolor y a pegar gritos, Matty estaba muerta de risa y él se cabreó tanto que en venganza le meó y le cagó la ropa y después se la tiró a la mar; ella no dejaba de reírse ni un momento y al final tuvieron que pedir ayuda a un guarda de las obras del polígono de Los Rosales, Matty no llevaba encima más que la camisa de Rafa y el guarda le prestó un mono color butano que le quedaba algo grande pero que estaba limpio.

Rodolfito y Benjamín Carlos, los nietos de Clara, los hijos de Mary Carmen, se cayeron de la moto que les prestó su primo Braulio y los llevaron al hospital Juan Canalejo, en Las Jubias, con la cabeza y varios huesos rotos, a Mary Carmen la dejaron ir a verlos, el marido era bastante razonable; Rodolfito y Benjamín Carlos se pusieron buenos en seguida pero Mary Carmen empeoró, se conoce que de la impresión, y tuvieron que encerrarla otra vez en Conjo, en el hospital donde llevaron a los hijos se metía en el retrete con un celador que había sido legionario y llevaba patilla de boca de hacha, todas nos imaginamos a qué, no hace falta ser muy listas; Evaristo, el jardinero de la madre, fue el encargado de devolverla al manicomio de Conjo, la llevó en un furgón de la funeraria El Crisantemo, era buen amigo de Lisardo, el conductor, solían tomarse unos vasos a la caída de la tarde en el bar de Xestoso, el pulpo de Xestoso tenía muy justa fama.

Narciso Torres, madrileño y controlador de vuelos, también tuvo amores con Matty, ella estaba loquita por él e iba a verlo a Madrid de vez en cuando, pero él, al final, se casó con su novia de siempre que era más sosa y aburrida, sí, pero más decente y cómoda, esto suele pasar. También era de Madrid, bueno, de León, pero vivía en Madrid, un jovencito muy espiritual que se llamaba José Luis Zabala, no sé si sería Zavala, con uve, creo que no, que componía poesías y bailaba muy bien el tango cuando ya se había perdido la afición, Carlos Gardel quedaba ya muy lejos; los amores de Matty y José Luis fueron muy efímeros, no duraron ni siquiera un verano. Don Severino Fontenla, el cura castrense que sabía tocar el arpa, decía que don Nicolás Iglesias Blázquez, le llamaban Julio Verne, el práctico del puerto, también había tenido algo con Matty, parece ser que se vieron algunas veces en el invernadero de su abuela Clara, en San Pedro de Nos, los metía Evaristo por la puerta de la cochera, en el invernadero se estaba bien, a don Nicolás le gustaba adornarle las tetas a su amor con hojas y flores, no las arrancaba de la mata, se las ponía encima y después las dejaba otra vez a su ser. Matty conoció un día a un alemán que se llamaba Rückert, Hans Rückert, y que llegó a La Coruña a bordo de un tres palos modesto, el *Gorch Fock,* que era el buque escuela que tenían entonces; se gustaron y empezaron a salir juntos y yo tenía que hacer de intérprete porque ella no hablaba inglés y menos alemán, sólo un poco de francés, casi nada, y él no sabía más que alemán e inglés, aunque aprendió pronto español. Matty fue dos o tres veces a Alemania a ver a Hans y él venía con cierta frecuencia por La Coruña, siempre que le era posible; Hans estaba muy enamorado de Matty y en uno de sus viajes le propuso el matrimonio, Hans era médico, no marino, en el *Gorch Fock* estaba de marinero, Matty rechazó casarse con él porque hubiera tenido que irse a vivir a los Estados Unidos, a Denver, Colorado, le dio miedo irse tan lejos, y entonces Hans se esfumó, se buscó otra y no volvió a saberse nada más de él. El Tigre de Mugardos, campeón de Galicia de todos los pesos, grupo amateur, queda finalista del Campeonato Nacional de Aficionados que se celebra en Barcelona al vencer por K.O. a sus dos rivales; el Tigre de Mugardos era algo pariente de Evaristo y a veces también iba por el bar de Xestoso. Mi marido tuvo una lesión tuberculosa en cada pulmón, eso es algo que les pasa a todos los maridos, una se la contagió Íñiga la Sibarita, que era de Guecho, la otra tuvo un origen más misterioso y confuso del que preferiría no hablar.

Cada vez que se me acaba un rollo de papel de retrete me da la risa, es muy emocionante esto de escribir la historia de un derrumbamiento en rollos de papel de retrete, también da mucha risa, ya digo, yo aguanto todo lo que puedo, yo puedo aguantar mucho, soy capaz de aguantar lo indecible, nadie me agradecería nunca lo bastante el buen ejemplo que doy a los jóvenes, yo creo que no hay mujer en toda España capaz de aguantar lo que yo aguanto, no me da ninguna vergüenza proclamarlo con soberbia y con ira, también sin recato alguno.

—¿Por qué te ajustas tanto al guión que te marcó la policía?

—Tengo mis motivos para hacer lo que hago, también te advierto que por ahora hago lo que quiero y que nadie me marca el guión de lo que tengo que decir, de lo que me conviene decir.

—¿Por qué tu marido se pinta la boca en forma de corazón y se da rímel en las pestañas?

—No es cierto, mi marido no se pinta la boca ni las pestañas, no lo necesita para nada, la única concesión que hace mi marido es bañarse todos los sábados con jabón La Toja.

Las mujeres vulgares tenemos tanta historia como las que no lo son, lo que sucede es que solemos olvidarla o confundirla, hay gente que disfruta olvidando y confundiendo, suelen acabar ardiendo en el infierno porque a Dios Nuestro Señor le ofende tanto el olvido como la confusión.

—No pierda el tiempo porque nadie la escucha, proceda usted sin perder la ilación debida y recuerde que el limbo está lleno de pájaros muertos y de miserables alimañas muertas, el hombre mata a las raposas, las garduñas y las comadrejas con arsénico, las envenena con arsénico, con los lobos ya acabó, los pájaros mueren de ver y oler la muerte, usted no pierda el tiempo porque nadie la escucha.

—Lo sé bien y tampoco quiero abusar de la paciencia de nadie.

Entonces, cuando rompió con Hans Rückert, fue cuando Matty conoció a Jaime Vilaseiro, con el que se casó en seguida.

—¿No sería mejor dejar esto para más tarde?

—Sí, quizá sí; esto ya se contará después, en el capítulo tercero, el que la señora Pilar Seixón, la santa de Donalbai, usted no la conoce, piensa dedicar al planteamiento.

Claudia, o sea Betty Boop, a diferencia de su hermana Matty, sí fuma, aunque tampoco bebe. Betty Boop tiene una figura explosiva, así como Eva, su madre, se parece, bueno, se parecía a Ava Gardner, ella es casi igual que Marilyn Monroe, todas las mujeres de esta familia son hembras importantes y también desgraciadas, a Matilde Verdú se le hielan a veces los recuerdos, los hay muy tristes y agobiadores y tan raros que no tienen desperdicio, se aprovecha todo como en la matanza: la sangre que queda en los lebrillos y las palanganas también se enfría poco a poco y al final se hiela de tristeza, la sangre triste no es buena para hacer morcillas.

—¿Por qué no se cuida usted esa tos?

—No tiene la menor importancia, se me quita en cuanto no fumo demasiado.

A Betty Boop la conocí en las Esclavas, venía de las Josefinas y repetía por tercera vez cuarto de bachillerato; a comienzo de curso la monja, para ver de ordenar un poco la clase, dijo que las repetidoras se pusieran en los dos primeros pupitres de la derecha, pero Betty Boop ni se movió.

—Señorita López, ¿por qué no obedece usted?

—Es que yo no soy repetidora, madre, no sabía que se refería a mí, yo soy tripitidora.

A Betty Boop la castigaban siempre y a veces nos arrastraba a las otras, un día hizo que todas las niñas llorásemos porque por su culpa nos hicieron quedar dos horas más estudiando.

—Así prepararán ustedes mejor la reválida.

Las monjas reñían a Betty Boop porque llevaba el pelo suelto y delante de la cara pero a ella le era lo mismo, no hacía ni caso. Betty Boop era vaga, muy vaga y caprichosa, pero también inteligente; en quinto, en clase de ciencias, aunque la monja preguntase a traición y sin avisar, ella lo sabía todo. Fue en quinto cuando un día ella vació sobre todas las niñas de la clase y sobre la monja un atomizador entero de un perfume carísimo de Estee Lauder, estaba muerta de risa, las dos hermanas estaban siempre muertas de risa, hasta que empezó a descarrilárseles la química de la cabeza. El general Luburich, que capitaneó a los paracaidistas que estuvieron a punto de dar muerte a Tito, explota una granja avícola en Benigorim y vende los huevos y los pollos en Alcoy.

Cualquiera abre el diccionario y lee: cruz, figura formada de dos líneas que se atraviesan o cortan perpendicularmente.

—¿Ha leído usted bien?

—Sí, perfectamente.

Don Nicolás Iglesias sabe que esa definición está mal, en la cruz de San Andrés los ángulos norte y sur son obtusos, suelen ser obtusos, y los ángulos este y oeste son agudos, suelen ser agudos, cuanto más obtusos sean los ángulos norte y sur más se descoyuntan y sufren las ingles, a mi marido y a mí nos quemó la sangre la familia, la vaciaron en el cubo del pozo, la rociaron con petróleo y le pegaron fuego sin clemencia alguna, a mi marido y a mí nos crucificaron desnudos y como a san Andrés en una cruz en forma de X mayúscula, la cruz de Borgoña es la insignia de nuestro desalentador suplicio, las moscas cojoneras nos hicieron sufrir mucho.

—¿Conoce alguien la áurea leyenda de Moncho Arguindey, de Teófilo Grela y de Floro Esmorís?

—No, nadie.

—¿Conoce alguien la argéntea y resbaladiza leyenda de don Severino, el cura castrense que tenía un ojo atónito?

—No, tampoco nadie.

—Bueno, pues entonces guarden silencio.

Betty Boop, cuando íbamos en sexto de bachillerato, se puso triste de repente y dejó de estudiar, don Lisardo, el médico de la familia, le dijo a los padres que la niña tenía una depresión y le dio una medicina, unas cápsulas de nobitrol, dos al día, ahora le cambiaron una letra de sitio, nobritol, Betty Boop tenía un novio que se llamaba Raúl Barreiro que jugaba muy bien al tenis, se pasaba el día en La Solana jugando al tenis, Raúl estudiaba náutica sin demasiado aprovechamiento, tropezaba siempre con la astronomía, el señor Arana Amézaga era un hueso, y con la electricidad y electrónica, esta asignatura tuvo que ir a aprobarla a Tenerife, Betty Boop creyó que estaba embarazada y Raúl, cuando se enteró, le dijo que tirara al niño por el retrete, entonces fue cuando lo de la depresión, le dieron más medicinas, cada vez más, y tuvo un acné juvenil tremendo en la cara y en la espalda, le salió barba y bigote a resultas del tratamiento pero no se le veía porque se depilaba, había que fijarse mucho, de los fomentos que le pusieron para eliminar los granos le quedaron varias cicatrices, le hubiera convenido usar crema Rodelán, ¡no más puntos negros, ni rojeces, ni imperfecciones!, para desmostrarle la eficacia de este producto le enviaremos a petición suya una muestra gratis, Torrente Vidalet, 29, Barcelona, Betty Boop era golosa y llegó a estar muy gorda; como su hermana Matty, pasó por la academia de secretariado de la calle de Riego de Agua, pero ni terminó siquiera, también fue a la Hípica a aprender a montar a caballo pero se aburrió pronto. En Phoenix, Arizona, expulsan a una joven de una peluquería por llevar la falda demasiado corta, yo creía que en los Estados Unidos eran más tolerantes.

—Pues ya ves que no, a mí me parece que la gente es más o menos igual en todas partes.

El demonio Astarot Concheiro era de Vilatuxe, en la provincia de Pontevedra, algo al norte de Lebozán, el demonio Astarot Concheiro era muy veloz y en una noche podía ponerse en la Tierra de Tábara, en Zamora, o en el río Navia, en Asturias, los demonios andan más del doble que los lobos, a mí me parece que esto se está poniendo ya muy caprichoso.

—¿Es cierto que Astarot es un demonio íncubo?

—No, el íncubo es Licorín, o sea, Satán Vilouzás, Astarot es súcubo.

II

Argumento

JESUSA CASCUDO era buena amiga de Matilde Verdú, la circunspecta relatora de esta crónica de sucesos, la mujer que se ganó un sobresueldo para caprichos e imprevistos durante dos o tres años, un frasco de colonia, una entrada para el cine, una bronquitis, el billete de tren para ir al entierro de su madrina, etc., como inspectora de primera enseñanza no se gana demasiado, eso todo el mundo lo sabe, hay que buscar otros ingresos dignos, claro es, hablo ahora de Jesusa Cascudo, la amiga de Matilde Verdú, la mujer que se ganó honradamente unas pesetas haciendo de señora de compañía de mi tía Marianita, la de la almendra garrapiñada. Jesusa Cascudo le explicó al Tigre de Mugardos que *ink* no era una marca de tinta sino que quería decir tinta en inglés.

—¡Tiene chiste!

—Ya ves.

Ana María Monelos, la viuda del joyero que se tiró por la ventana, iba algunas veces a merendar al Galicia con un pretendiente que le había salido, don Pedro Rubiños, a él no le gustaba que le quitasen el don, procurador de los tribunales, Jesusa Cascudo se hacía la encontradiza y don Pedro la invitaba a un café cortado con pastas.

—Siéntese con nosotros, no tenemos que tratar nada secreto.

—Como guste, yo encantada, lo hago por complacer, sólo por complacer.

La vida no tiene argumento porque tampoco tiene costumbre, la vida suele ser siempre muy desacostumbrada y monótona, la lógica del argumento discurre por camino distinto a su reciedumbre o a su debilidad, Matilde Verdú no paraba de toser, no está tísica pero puede acabar estándolo, Jesusa Cascudo cree que fuma demasiado pero no se lo dice porque no quiere ser entrometida, a don Isidoro Méndez Gil, que era hermano del joyero, lo hicieron presidente de la Agrupación de Industriales del Polígono de San Pedro de Visma, cuyo domicilio social estaba en la ronda de Outeiro esquina a la avenida de Peruleiro, don Isidoro Méndez Gil comenzó su discurso de toma de posesión diciendo que, como nadie ignora, el verano es la estación propia para bañarse, pues el calor nos hace apetecer el agua que nos refresca y humedece la epidermis; fue muy aplaudido y después de tomar posesión se fue para su casa, se sirvió una cerveza del tiempo, no fría, se sentó en el retrete, encendió un puro y se puso a leer *El Ideal Gallego,* por las mañanas leía *La Voz de Galicia.*

—Cada cual caga a la hora que le da la gana, y además esto no importa a nadie.

Yo no soy sino una mujer amarga, lo sé bien y me duele no poco reconocerlo y declararlo ante quien quiera oírme, yo soy una mujer decepcionada y sin conformidad, una mujer que se refugia en el amor de un perro, a mí me gustan todos los machos, de esto no quiero ni hablar porque estoy horra de sentimientos pero no de aprensiones ni remordimientos de conciencia, que Dios me ayude, para mí se hundieron ya para siempre los luminosos deseos de lograr el control de la mente, el entendimiento de los beneficios de la humildad para gobernar la respiración del aire y acceder a la paz por la relajación, no sé lo que digo, que Dios me perdone, siempre tuve el estómago y los bronquios delicados, yo adivino que debe ser muy duro sacrificar al propio hijo de tu carne por obediencia, la obediencia debiera ser pecado, pero Abraham se disponía a hacerlo cuando le salvó la fe. Eva organiza algunas reuniones en su casa a las que asiste Julián Santiso, el de la Escuela de Albores, pero pronto se desengaña o se aburre, viene a ser igual, y las suspende de golpe; entonces es cuando Julián Santiso busca a Ana María, la viuda del joyero, y se la lleva a la cama con buenas y engañosas palabras, con muy prolijas y amables palabras de apoyo.

—¿Y de acompañamiento?

—Sí, también de acompañamiento.

—¿Y de esperanza?

—Sí, también de esperanza.

Julián Santiso le dice a Ana María que Eva está poseída por el demonio, se lo dice de pasada y como quien no quiere la cosa, se lo dice sonriendo con dulzura, siempre sonriendo con mucha dulzura.

—¡Qué horror! ¿Y habrá que llevarla a San Andrés de Teixido?

—No, no creo que vaya a ser necesario porque quizá el demonio no haya prendido aún demasiado en su corazón, bastará con hacer penitencia y purificarnos obedeciendo a los elegidos por Dios porque Él es quien habla por nuestra boca y nos señala los pasos que debemos dar en cada instante.

Ana María está muerta de miedo y se pasa la noche abrazada al maestro ínfimo de la Comunidad del Amanecer de Cristo.

—¿No es Jesucristo?

—Es igual, se dice de las dos maneras.

El día de San José Artesano se entregan los premios provinciales de natalidad en sus dos clases, hijos habidos e hijos vivos: don Ramón Blanco Cundins, 54 años, de Vilar de Couso, jornalero, casado con doña Josefa Picallo Mourelle, 44 años, número de hijos 16, les viven 13, 11 en el hogar, 30 000 pesetas; don Domingo Pérez Mínguez, 58 años, de Bastabales, herrero, casado con doña Digna Béllez Mayo, 50 años, número de hijos 16, les viven 13, 9 en el hogar, 10 000 pesetas; don Emilio Guitián González, 59 años, de La Coruña, funcionario, casado con doña Julia Garre Benítez, 42 años, número de hijos 14, todos vivos y todos en el hogar, 10 menores de 14 años, 30 000 pesetas; don Agustín Lage Castro, de La Coruña, peón, casado con doña Antonia Gantes Navarro, ambos de 41 años, número de hijos 14, todos vivos, 13 en el hogar, 9 menores de 14 años, 10 000 pesetas.

La meditación es el camino hacia los más elevados estados de la conciencia, insisto en decirte que soy una mujer presa de todos los pánicos, no creo haber pecado más ni tampoco menos que las demás mujeres pero estoy tan avergonzada y pesarosa que no puedo dormir, tengo que tomar todas las noches tres copas de aguardiente templado al baño de María, ¿de qué me sirve mi fortaleza?, yo soy capaz de aguantar tanto como un capitán que no haya comido más que carne de morueco de las montañas de Kirikkale durante los últimos cien días, Karabuk y Kirikkale están lejísimos, casi en el fin del mundo.

A Fran, el hijo de Eva, Julián Santiso lo convenció de que era Simón Pedro, Fran está muy imbuido de su papel y lo representa con dignidad. Fran deja los estudios y vive a saltos y de lo que puede, sus padres no le hacen demasiado caso. Cuando muere su abuela Clara Erbecedo, a los dos años o algo más, Fran pacta con Evaristo el jardinero, se mete en el chalet de San Pedro de Nos aprovechándose de que su tía Vicenta, o sea su tía Mary Carmen, está en Conjo, y se dedica a hacer figuritas de barro que vende en el mercadillo de los domingos; a su amigo Javier, el paje galán de doña Leocadia, la que le da de merendar y le paga los estudios, y de Clara, la que le llamaba Fifí y le acariciaba las orejas, también lo trató de captar la Comunidad del Amanecer, pero le salvó su indiferencia, a Javier Perillo le era casi todo igual y no quería buscar ni la paz ni la felicidad ni nada, ni suyas ni de nadie, él sólo quería seguir viviendo sin mayores apuros, cuando se es joven no es difícil, Clara Erbecedo le dejó una manda en su testamento, más de veinte mil duros en acciones del Banco Pastor, a cambio de que no fuese durante un año por casa de doña Leocadia, la gente se escandalizó y se rió, las dos cosas, doña Leocadia y Javier se vieron durante ese año en una buhardilla que ella tenía alquilada en la calle de Andrés Antelo, nunca se supo para qué, y al cabo de ese tiempo Javier entró en posesión del legado, tuvo que pagar bastante de derechos reales, se los pagó doña Leocadia.

Yo no quiero desmentir a nadie ni tampoco enmendar la plana a nadie, no estoy autorizada, yo me limito a desgranar la dolorosa historia de un derrumbamiento al que envuelvo en una fábula añorante y amarga: no fue así y bien me duele, pero yo creo que debieran haber salido en mi defensa los muertos del cementerio, en el camino de la Torre y frente a la mar de San Amaro, todos también vencidos, a todos los barrió el tiempo que pasa y ya no pasean a la caída de la tarde por la calle Real.

—¿A usted no le parece que su tocaya la ferrolana Matilde Meizoso, la mujer de Pichi, es más animosa que usted?

—Pues sí, quizá sí, eso no es demasiado difícil.

No me canso de repetir que a las mujeres vulgares también nos hieren los compromisos de la historia que padecemos, quienes la escriben son los otros, los demás, los distintos, los que nos hacen sufrir, yo me siento sañudamente perseguida por el violento chorro de arena de la murmuración, yo pienso que sería mejor hacer borrón y cuenta nueva de todo y volver a empezar otra vez desde el principio, nadie sabe qué es lo que espera al mundo tras el juicio final, a lo mejor Dios se irrita o se deprime y le planta fuego a todo, los teólogos dicen que en Dios no caben ni la irritación ni la depresión; lo único que Dios no es, es débil.

—¿Usted cree que Pichi es feliz con su mujer?

—A mí no me lo parece, pero eso no se sabe

nunca, no es posible que se sepa nunca, a veces lo ignora hasta el propio interesado, que puede confundir el desamor con la úlcera de estómago o la sordera.

El general croata Luburich, Maximiliano Luburich, cuando vendió su granja avícola, abrió una imprenta en Carcagente, allí fue donde lo mataron por orden de Tito dándole con una llave inglesa en la cabeza, a Trotski le pasó lo mismo en México, al rey Favila no, al rey Favila lo mató un oso abrazándolo.

Betty Boop tuvo varios novios, o más bien novietes, antes de casarse: Pepito, un mierdecilla violento y ordinario, que tenía los dientes un poco para afuera y parecía un conejo; Luis, un gordito de Carballo medio barbilampiño que era estudiante de arquitectura y le duró poco; Suso, que nadaba muy bien, tenía más resistencia que velocidad y era capaz de nadar horas y horas sin cansarse; Jorge, que tenía una moto bastante buena y muy espectacular y se pasaba el día sacándole brillo con una gamuza; Genaro, que era de Noya, al pobre lo tuvieron que operar de fimosis; Ignacio, que había sido seminarista en Mondoñedo y estudiaba filosofía y letras; Moncho, que era un poco bizco pero bailaba muy bien, con mucho ritmo y sentimiento, y quizá algún otro. Después apareció el que acabaría siendo su marido, Roberto Bahamonde Chas, no se puede decir que Betty Boop hubiera perdido el tiempo.

Es indignante que se dé por válido el hecho de que las mujeres no contemos para la historia, no tengamos historia, las mujeres corrientes y molientes, las mujeres del montón, las que no valemos más que para servir al hombre, para dar gusto al hombre, para llorar y aplaudir y enterrar al hombre, las que pasamos por la vida en un discreto silencio casi siempre artificial y sin pena ni gloria.

—Pero con orden y concierto.

—Sí, sin duda, y eso es lo más importante.

El padre Castrillón era de la apocalíptica escuela del padre Cuadrado, en los ejercicios espirituales nos anatemizaba a todas en sus sermones y nos metía el resuello en el alma hablándonos del fuego eterno, el mundo, el demonio y la carne son los tres cómplices del mal que a todos nos acecha para caer como un buitre sobre la carroña de nuestros espíritus; el padre Castrillón declamaba estas palabras con un aire muy solemne y dramático, parecía que estaba representando *Veinte mil leguas de viaje submarino.*

—Leed, leed el libro sobre el baile agarrado de fray Jeremías de las Sagradas Espinas, leed, leed y obrad en consecuencia, daos por advertidos.

A mí esto de «leed y obrad y daos» nunca me gustó, la gente suele decir «leer y obrar y daros», a lo mejor es menos correcto, no sé; en las esquelas mortuorias también se suele hablar con mucho comedimiento administrativo. Ahora es el momento de contar lo del profesor de violín, lo sé porque el padre Castrillón me lo ordenó de manera tajante, pero no voy a obedecerle, lo del profesor de violín no lo voy a contar ahora sino cuando cuadre.

—¿Por qué te pasas las tardes de los domingos esmerándote en esos inútiles ejercicios de caligrafía?

—Para mí no son inútiles, puedes creerme, para mí son gráciles y armoniosos.

—¡Bah! ¿Por qué lleva tu hombre puntillas en los calzoncillos, en la bragueta y en la pernera de los calzoncillos?

—Son habladurías a las que no debieras hacer caso. Mi hombre no lleva puntillas en ningún sitio, lo que sí lleva son los suspensorios bordados a punto de cruz, lleva un ancla y sus iniciales bordadas a punto de cruz.

En la droguería les acabé con el papel de retrete marca La Condesita, ahora me lo dieron marca La Jirafa, yo creo que es peor, la tinta del bolígrafo se corre algo, no me queda más remedio que aguantar, ya iré arreglándomelas, a todo se acostumbra una. En La Coruña sopla el viento en todas las esquinas, en unas más que en otras pero en todas, aquí las mujeres enseñamos las piernas en todas las esquinas, es igual en las de la bahía que en las de la mar de afuera, mis piernas ya valen poco porque voy para vieja, la verdad es que nunca valieron demasiado, fueron siempre un poco flacas y huesudas, pero los hombres son unos viciosos y miran siempre, también sé que es preferible esto a lo contrario.

A las hienas hay que echarles gacelas muertas para que se les barran los malos pensamientos de la cabeza.

—¿Para que se les borren?

—No, para que se les barran; los malos pensamientos no se borran jamás, basta con barrerlos para que acabe llevándoselos el viento.

Lo dije veinte veces, lo repito siempre, mi nombre es Matilde Verdú y no me volvería atrás de nada, absolutamente de nada de lo que haya podido hacer en mi vida y recuerde, tengo bastante buena memoria, tengo mejor memoria que voluntad, a veces soy algo apática, también declaro que me gustaría haber sido otra persona, varón mejor que hembra, mamífero mejor que ave, blanco mejor que negro, pero me aguanto porque sé bien que no se pueden pedir imposibles. Mi abuelo murió en el frente de Asturias, antes dije que lo mataron en el frente de Huesca pero no es verdad, mi abuelo era comandante de caballería, antes dije que era comandante de infantería pero no es verdad, en ocasiones no me siento con fuerzas para no mentir, a mí me gustaría no mentir jamás pero eso es muy difícil, que Dios me perdone, yo pido constantemente a Dios que me perdone porque todos necesitamos de su perdón; nosotros nos quedamos en La Coruña porque nos fiaban en la tienda de ultramarinos. Mary Carmen, la hermana de don Jacobo, está encerrada en el manicomio de Conjo, los médicos le dan electrochoque de cuando en cuando, no siempre, yo creo que sólo cuando se aburren, los locos llaman Radio R.I.P. al electrochoque, los médicos y los loqueros también se acuestan con las locas o hacen las porquerías con los locos cuando se aburren, es fácil, si se resisten se les da un calmante, eso va en conciencias, a Mary Carmen la preñó el loquero Chus Chans Chao, los castellanos creen que es chino pero no, es de Biduido, mismo al lado de Conjo, a los tres meses Mary Carmen abortó, Chus había sido un ciclista bastante meritorio, un año ganó la etapa Orense-Verín en la vuelta ciclista a Galicia, pero ahora está tísico, Chus ata a Mary

Carmen a la cama, le pega con el cinturón, le escupe y le llama puta, una de las veces que Mary Carmen se escapó de Conjo se lo dijo a Evaristo y éste fue a buscar a Chus y lo tiró desnudo al pozo de las monjas, a poco más lo ahoga. Por La Coruña se dijo que el Tigre de Mugardos tenía amores con Jesusa Cascudo, a mí me parece que no es cierto, a veces se encerraban en el invernadero de San Pedro de Nos, pero a esto no se le puede llamar tener amores.

—No se esfuerce porque no merece la pena, nadie le escucha aunque no pocos lo fingen, el limbo está alfombrado con topos muertos, con donicelas muertas, tapizado con pieles de topo muerto, de donicela muerta y en el invernadero de San Pedro de Nos se crían las orquídeas más venenosas y traidoras. Yo no estuve nunca con un hombre en el invernadero de Clara, pero procuro no decirlo, ¿para qué?

El mundo está lleno de ignorancias, sería gracioso que las avispas tuvieran nombre como los niños, los perros y los caballos, y alguien supiera cómo se llamaba la avispa que picó a Rafa en los testículos, vamos, en el escroto, la historia está llena de lagunas, a nadie le importan nada las precisiones. El agente artístico don Daniel Núñez Rodríguez, Satanela, falleció en el día de ayer confortado con los auxilios espirituales, etc. A mi marido y a mí nos quemó la sangre la familia, nos la quemó a fuego lento, tampoco hay prisa para la crueldad, Julio Verne, el práctico del puerto, dice que hicieron bien porque somos dos degenerados, ¡quién habló!, es muy fácil ver la paja en el ojo ajeno, a mi marido y a mí la familia nos crucificó en la cruz de San Andrés, nos crucificaron desnudos para poder reírse viendo cómo nos picaban las avispas en las partes abyectas, en las beneméritas partes ruines culpables de todas las aberraciones de los demás; creo que no lo dije antes pero debe saberse que a mi marido y a mí nos clavaron en la cruz en la punta Herminia, más allá del polígono de Adormideras, el señor gobernador civil y jefe provincial del Movimiento nos dirigió unas sentidas palabras de despedida y los niños de las escuelas nos saludaron muy amable y emocionadamente agitando rojigualdas banderitas españolas de papel, la lluvia mojó a los niños y a las banderitas.

Una tarde me llamaron por teléfono, yo estaba medio somnolienta, pero me despertó el teléfono.

—Mi nombre es Julián Santiso Faraldo, usted no me conoce, soy buen amigo de Eva, la señora de López Erbecedo, y de Ana María, la viuda de Méndez Gil, quisiera exponerle algunos puntos de vista sobre la educación de los hijos.

—Yo no tengo hijos.

—Bueno, pero nuestras amigas sí.

Quedé con Santiso en el café Triana, en la Marina, también tenía entrada por Riego de Agua, el café Triana era famoso por sus tapas calientes, sus tapas de cocina, Santiso era muy correcto y elegante y tenía una conversación agradable, sonreía siempre, eso es lo que no me dio buena espina, a veces soy algo desconfiada con los que sonríen siempre, también tenía mucha seguridad en sí mismo y un gran poder de persuasión, quedamos amigos y al cabo de algún tiempo coincidí con él en dos reuniones, una en casa de Eva y otra en

Santiago de Compostela, en un piso vacío y medio destartalado, sin muebles y con mucha gente joven sentada en el suelo fumando marijuana, se olía en seguida, Santiso escribía cosas en un papel y nos decía que su mano era llevada por la voluntad de Dios, por el sereno mandato del Altísimo, del Sumo Hacedor, llamadle como queráis, el nombre poco importa, a veces también hablaba del Sumo Arquitecto.

—Yo no soy más que un maestro ínfimo de la Escuela de Albores, yo no soy más que el elemento transmisor de los mensajes que nos envía Dios a cada uno, mensajes de amor y de paz, meditemos todos y elevemos nuestras conciencias hacia la anhelada perfección.

Santiso, mejor dicho, Dios a través de Santiso, nos escribió una carta a cada uno mientras guardábamos silencio, yo guardé la mía en el bolso y no la leí jamás, la tiré tan pronto como llegué a la calle porque me dio miedo, a Santiso no volví a verlo y ahora me doy cuenta de que acerté.

—¿No quemaste la carta?

—Sí, la quemé antes de tirarla, con estas cosas no conviene jugar.

Cuando a mi tía Marianita le hicieron la autopsia le encontraron la almendra garrapiñada atascada impidiéndole la respiración, la pobre murió porque le faltó el aire.

—¿Te sientes con fuerzas para seguir?

—No, pero a pesar de todo voy a hacerlo.

Aquí, en esta pared recién encalada, será mejor esperar a que se seque un poco, voy a ir apuntando los sucesos más notables del derrumbamiento; voy a escribirlos con navaja o con un clavo porque el papel de retrete nuevo no me sirve, el lunes procuraré buscar uno algo mejor, en éste se corre demasiado la tinta del bolígrafo, la letra queda punto menos que ilegible.

—¿Querrías jugar al diábolo con las ánimas del purgatorio?

—No.

—¿Querrías saltar a pídola con los muertos de la Santa Compaña?

—No, de ninguna manera, de noche prefiero no salir de la ciudad.

Mi marido pensó siempre que no se debe gastar jamás la pólvora en salvas ni el amor profundo en sobos y dingolondangos, las almas en pena ya tienen bastante con los sufragios, cada vez hay menos dinero en el cepillo de las ánimas, la caridad se está borrando de los corazones. Seamos serenamente disciplinados y acatemos la norma que nos da quien puede hacerlo, las cosas hay que repetirlas siempre y, aun así, no se cumplen. Yo no estoy segura de que el porvenir sea de los ignorantes y los suicidas, lo más probable es que el porvenir no tenga dueño, no sea de nadie.

—¿Ni de la casualidad?

—No, tampoco de la casualidad; admito que el porvenir pueda ser una abstracción inescrutable y cerrada.

Nada ni nadie es de nadie, la propiedad es un robo tolerado por una costumbre que dura ya cuarenta mil años, no puedo seguir pensando en esto porque se me corta la respiración en la garganta como al melancólico pajarito de los robledos, por más esfuerzos que hagamos no podemos admitir, no podremos admitir jamás que la casualidad sea de nadie ni tenga nada, sea sierva o ama de nadie ni de nada ni esté sometida a nadie ni vinculada a nada, ni siquiera a Dios ni a la noción de Dios, no es lo mismo sentir que comprender, pido perdón a los benevolentes espectadores de las ejecuciones en la horca municipal, construida con muy nobles maderos, sí, con maderas preciosas, pero siempre confusa: mi marido y yo sabemos que la ruin y humillante cruz de San Andrés tiene dos puntas hincadas en tierra y otras dos dibujadas en el aire, en una se posa Breogán, como un búho (o como un cernícalo), y en la otra el apóstol, como un cuervo (o como un lindísimo alcaudón). Conviene salir siempre a la calle muy arreglada porque los errores que podamos cometer son muy dolorosos, todo puede ser perdonado menos los errores, el hombre alienta los vicios conocidos pero rechaza los desconocidos, la mujer suele hacer al revés, la mujer tolera hastiadamente los vicios habituales pero busca y aplaude los vicios nuevos, por eso fracasan tantos matrimonios.

—¿Por qué no quiso usted contar nunca el accidente náutico en el que perdió la vida su hijo?

—¿Por qué no se lo pregunta usted a su padre? Las madres no solemos guardar esa memoria, somos menos esmeradas.

Matty, Betty Boop y yo, de jóvenes, de diecisiete años o dieciocho, éramos divertidas y crueles, conocíamos a un chico y nos entusiasmábamos con su compañía, pero al poco tiempo empezábamos a encontrarlo ridículo y nos reíamos de él por lo que fuera, los dientes, la ropa, el bañador, el tono de voz, el color del pelo, el apellido, la hermana bizca, con frecuencia tenían una hermana bizca, la tía coja, con frecuencia tenían una tía coja, Matty, Betty Boop y yo nos traspasamos algún novio, pero no nos decíamos nada de cómo era, al final siempre coincidíamos en las cosas que más risa nos daban.

Fernando Gambiño, el cajero de Efectos Navales Ramiro Astray e Hijos, estaba en la cárcel esperando a que le dieran garrote por el asesinato de su esposa, Berta González Abuín, eso se llama uxoricidio, pero Gambiño no lo sabía, el verdugo tenía que venir de fuera, creo que de Burgos; primero Gambiño emborrachó a Berta con anís dulce, le hizo beber más de media botella, y después, cuando la tenía ya bien ebria e inconsciente, la puso desnuda sobre la mesa del comedor, no quitó el hule para no manchar demasiado, le selló la boca con esparadrapo para que no gritase y la abrió de abajo arriba con un cuchillo de hoja ancha, el corazón lo tiró a la mar de la bahía, es buen alimento de peces y gaviotas, también aprovecha a los moluscos bivalvos y a las errabundas medusas, Gambiño puso la sangre en una fuente honda con dos pajitas en forma de cruz y el cuerpo se fue pudriendo poco a poco, bueno, bastante deprisa, a los pocos días daba un olor muy fuerte, un olor espantoso y nauseabundo, y empezó a criar gusanos, entonces el empleado de Efectos Navales se metió en la cama, puso la televisión, campeonato de Europa de gimnasia femenina, *Mariquilla Terremoto* por Estrellita Castro y Antonio Vico, *Habla contigo Jesús Arteaga,* programa religioso, puso la televisión, ya digo, y esperó a que llegase la policía, tuvieron que tirar la puerta a patadas, la muerte de la esposa del cajero fue un asesinato ritual, los informadores lo dijeron en seguida, lo que no se supo nunca es si hubo otros implicados; Fernando Gambiño Aruñedo, de cuarenta y cinco años de edad, era natural de Guitiriz y tenía justa fama de hombre cumplidor de su deber, nadie supo lo que pudo haberle pasado, el demonio suele recurrir a muy sutiles ardides, don Segundo, el capellán de la cárcel, decía que Gambiño había hecho una confesión general ejemplar.

A nadie importa, yo sé que a nadie importa, pero la gente puede confundirse porque estos papeles están siendo escritos por varias personas y son tres, al menos, tres mujeres, quienes hablan en primera persona, quienes usan el nominativo del pronombre personal de primera persona cuando les conviene, yo no soy más que una mujer amargada porque todo le salió mal en esta vida, lo probable es que en la otra le salga todavía peor, yo no soy más que una mujer enferma que va camino de vieja y que no acierta a aguantar la soledad, me siento sola y casi maldita, me siento señalada por el dedo de Dios, pido perdón porque no me queda más remedio, me gustaría que alguien me ayudase a enriquecer mi huera existencia, ya sé que es pedir peras al olmo, me conformaría con que alguien me enseñase las técnicas básicas de la meditación, algo que pudiera llevarme a conocer mi mente y a vencer mis inquietudes, mi negatividad, sé que es pedir demasiado y me prestaría gustosa a ser degollada en el ara de los sacrificios si ésa es la voluntad de Dios y si mi muerte en la cruz de San Andrés sirviera para algo.

Ahora Camilito Méndez Salgueiro pinta a la

acuarela, pinta marinas y vegetaciones, árboles y praderas, también floreros, y sigue leyendo libros en francés, la empresa Pescados Marineda quebró porque no la sabía llevar, pudo salvar algún dinero y vive sin lujos, es cierto, pero sin excesivos agobios.

—¿Me da usted un pitillo rubio?

—Con mucho gusto, coja otro para luego.

Betty Boop era la bufona del trío, su hermana y yo quedábamos menos graciosas, no aguantábamos la comparación, quedábamos mucho menos graciosas, Betty Boop tenía verdaderas condiciones de actriz, hubiera hecho una magnífica actriz, tenía mucho talento de actriz cómica, a lo mejor hubiera podido salvarse del derrumbamiento subiéndose a las tablas y yendo de un lado para otro y de escenario en escenario, las candilejas prolongan la juventud y alargan la vida. Betty Boop cantaba y representaba muy bien las canciones que componía Manuel Alejandro para Rocío Jurado, *Muera el amor* y *Lo siento,* las bordaba, Betty Boop se apuntó a clases de declamación, lo que más le gustaba era recitar *Llanto por la muerte de Ignacio Sánchez Mejías,* lo vivía tanto que acababa sudando y llorando.

El padre de Moncho Espido, el bizco bailón, le dijo a la encargada de la casa de putas de la Malpiqueira:

—Mira, Concha; cuando termine de hablar tráeme un vermú. Y ahora escucha o, por lo menos, pon cara de escuchar. La materia tiende a dirigirse al centro de la Tierra, la gravedad es su sustancia, y en cambio el espíritu, algo que se tiene a sí mismo como objeto, tiende a volar al eje del cielo, la libertad es su motor, no se puede entender que es su sustancia aunque sería hermoso admitirlo. ¿Lo entiendes? ¿No? Bueno, es lo mismo, ya estoy acostumbrado. Dime una cosa, Concha; ¿está disponible la Esperancita?, no importa, tú no te preocupes, si está ocupada volveré más tarde, tengo que comprar unos pasteles para el cumpleaños de mi nietecita Lorena, mañana cumple cinco añitos, ¡hay que ver cómo pasa el tiempo!

Mi cuñado Esteban Vilariño me regaló tres rollos de papel de retrete marca Los Dos Hermanos, no es tan bueno como La Condesita, pero sí bastante mejor que La Jirafa, Vilariño es médico especialista de piel, venéreas, sífilis, avenida de Arteijo, 21, radiaciones ultravioletas e infrarrojas, diatermia, onda corta, rayos X, la mujer de Vilariño fue mi pobre hermana Victorita, ya fallecida, la Real Academia Gallega nombra miembro de honor a don Dámaso Alonso, nacido en Madrid pero criado a orillas del Eo. El aparatoso tedéum que conmemora las bodas de la confusión con el azar no se utilizó nunca para hacernos olvidar la rutina, todas debiéramos saber que la mujer sola llora el doble que la mujer acompañada, el llanto es una determinada y agobiadora cuantía que admite la partición, jamás pensé que pudiera acabárseme tan de prisa el papel de retrete, se conoce que cunde poco porque hay que escribir con letra grande.

Cuando sopla el viento en La Coruña no hay quien pare, en la clase de declamación Betty Boop conoció a Rosendo Cagiao, un cuarentón cumplido que iba a aprender a hablar en público y que luego fue diputado primero de Unión de Centro Democrático y después de Alianza Popular, Rosendo tenía una voz hermosa, fuerte, persuasiva, muy varonil, tenía un poderoso chorro de voz, a todas nos latía el corazón y nos subía calor por la garganta cuando lo oíamos hablar, al final de las clases Betty Boop se hacía la remolona para quedarse a solas con él y dar ocasión a que la invitase a unos vinos o la acompañase a casa, cuando sopla el viento en La Coruña no hay quien pare porque vuela todo por el aire, cuando se anuncia la llegada de un ciclón se desata la euforia carnal entre los amadores ortodoxos, el amor es siempre una rigurosa ortodoxia, y la gente, determinada gente, la de más firmes inclinaciones, la de las inclinaciones de mayor confianza, anda excitada y como poseída de muy extrañas lujurias, a lo mejor no son tan extrañas, las amas de casa atiborran la despensa de provisiones como si hubiera estallado la guerra, aceite, harina, arroz, lentejas, garbanzos, bacalao, embutidos, conservas, a veces hay muertos porque las tejas vuelan y algunas ventanas se rompen y también vuelan, las autoridades recomiendan no andar por la calle porque además te puede llevar el viento, a los niños y a los viejos los lleva el viento por el aire y los estrella contra las fachadas de las casas, a las niñas a quienes suspenden en religión, 2.º curso, sería prudente tirarlas a la mar más allá de la peña de la Marola. El demonio Belcebú Seteventos, con la pelucona de oro que le regalaba todos los meses su paloma torcaz, cuando se presentaba el ciclón solía comprar las conciencias de los coruñeses que se dejaban, que tampoco eran todos.

—¿Merece la pena escapar del infierno?

—Me lo pregunté cien veces y nunca encontré una respuesta que me dejase tranquila.

En los alrededores de Kirkagac y de Kinik los campesinos crían unos patos hermosos que venden a los turistas aficionados al pecado de bestialidad, son más caros los patos que las patas, también tienen el amor más bravo. El uniforme de a diario de los sacerdotes de estas afiligranadas y falsas nupcias, de esta vergonzosa ordalía, de este juicio de Dios que puede llevarnos a todos al infierno, es aún más austero que el de hace un siglo y va ribeteado de plata o de rojo, según la estación del año, las sacerdotisas cubren sus asquerosas carnes tumefactas, sus hediondas carnes quebradizas, con sudarios de color gris perla o amarillo limón bordados en plata y con botones de plata y ellos y ellas comulgan con ruedas de molino de miga de pan, se atragantan casi todos, no quiero seguir por este tortuoso sendero, es preferible el hambre.

—¿Por qué obedeces tan a ciegas las ordenanzas municipales?

—Lo ignoro.

—¿Por qué a tu marido le huelen las ingles a pachulí?

—No es a mi marido sino a Sanyowananda, mi amante tuerto, a quien le huelen las ingles a pachulí, a mi marido le huelen a canela en rama.

Insisto en decirle a usted, lector estúpido, que las mujeres vulgares tenemos historia natural como las algas y los líquenes, nuestro historiador es Buffon, pero no historia sagrada como san Joaquín y santa Ana, su historiador es cualquiera de los cuatro evangelistas.

—Tómese un breve descanso y continúe.

—Gracias.

Matilde Verdú hizo aguas en el tiesto de geranios del zaguán y continuó:

—Con la venia, señor vicepresidente adjunto. Sabéis de sobra cómo me llamo y tampoco os importa mi declaración, sólo quisiera juraros solemnemente que ignoro cuanto me preguntáis y que mis respuestas no son sino falaces falsedades, podéis quitarme la vida, bien lo sé, pero no mi hondo pesar ni mis escrúpulos. Perdonadme porque tampoco he querido ofenderos.

A Loliña Araújo, la abuela de Matty, Betty Boop y Becky, la compañera sentimental de Roque Espiñeira, el de la Escuela de Artes y Oficios, no se le había perdido nada en las ruinas de Kamliyayla, iba de excursión con su marido y otros dos matrimonios también coruñeses, a su amiga Araceli, la de don Fabio Picatoste, le mordió una rata rabiosa y tuvieron que rematarla con un destornillador kurdo muy tosco, costó mucho trabajo porque no se dejaba, a los muertos los vuelve amarillos la envidia, sólo la envidia.

—Todo eso que usted cuenta es mentira.

—No, señor, parece mentira pero es verdad, eso pasa siempre.

A Betty Boop y a Rosendo Cagiao, el orador, les gustaba el riesgo, eso le pasa a cualquiera, ¿a quién no? En el ciclón de aquel año, los más recios suelen ser en el mes de noviembre, después del día de difuntos, cuando las mareas vivas, en el ciclón de aquel año una tarde, al salir de clase de ortofonía, hay que aprender a impostar la voz, hay que saber hablar con el diafragma o con la garganta, según convenga, al salir de clase Betty Boop y Rosendo tuvieron ganas de riesgo y aventura, quisieron vivir el peligro de cerca y estuvieron de acuerdo en que sería muy emocionante, sería fantástico llegarse a hacer el amor hasta la torre de Hércules, esto no hay que decírselo el uno al otro, basta con pensarlo los dos al tiempo, justo donde la mar se enseña salvaje como un tigre, con olas de hasta quince metros y vientos de ciento noventa kilómetros por hora, el cielo estaba de color gris barco de guerra y en el paisaje no se veía más que a la naturaleza zurrando al coche con ellos dentro, aquello parecía el resquebrajamiento de la luna pero con agua; entre el rijo desatado y el tiempo cabreado, el coche volcó sobre la cuneta y a los amantes cachondos, satisfechos y felices, también muertos de risa, les costó mucho trabajo salir del encierro y llegar hasta la ciudad calados hasta los huesos y temblando de frío.

—Tampoco hubiera sido un mal ataúd.

—¡Calla, mujer!

Estos amores emocionantes no duraron demasiado tiempo; todo se vino abajo cuando Betty Boop descubrió un día viéndolo en cueros en el invernadero de San Pedro de Nos, que Rosendo tenía ojos y nariz de pájaro, boca de gusano, los hombros caídos y el pipí demasiado oscuro, además era culibajo.

—¡Confiad en Dios, muchachos, y mantened la pólvora seca! —dijo Oliver Cromwell, el que nos quitó la isla de Jamaica, a sus huestes, en la batalla de Dunbar.

Jugando a la tala, otros le dicen marro, unos chiquillos estuvieron en un tris de saltarle un ojo al alcalde, no faltó nada, la verdad es que hubo suerte. En realidad la ley de Frienberg o de Freyberg para descubrir si una moneda es verdadera o falsa o está endemoniada, que los tres supuestos se consideran, se debe a Kafavis, el físico, Alphonse Kafavis, no a Kavafis, el poeta, Constantino Kavafis, su aplicación está muy lejos de producir resultados medianamente fiables. Todo es muy riguroso y cierto, todo se desmelena quizá en demasía, cuando Eva descubrió que las criadas pertenecían a la especie humana se llevó una gran sorpresa.

—No es justo, lo admito, pero no acierto a explicármelo, si Dios las hizo nacer abajo por algo será, también culpo a los padres de la Iglesia por no haberse pronunciado con mayor claridad, de los negros y de los criminales pudiera decirse lo mismo, todos estamos predestinados, todos acabaremos en el cielo, en el infierno o en el limbo, lo más probable es que el purgatorio esté vacío y con la tapicería de los muebles toda rozada.

El capitán Brandariz es chusquero y lleva bigote a lo káiser, el capitán Brandariz, del regimiento de infantería Zamora número 29, es una mala bestia que rapa al cero las cejas de los reclutas torpes o desobedientes, al capitán Brandariz, don Ramiro Brandariz Cascales, le untaron de mierda el pasamanos de la escalera y tanto él como su señora se pusieron perdidos, por el olor no se puede descubrir a los culpables, el olor es más o menos siempre el mismo.

Las echadoras de cartas estaban medio prohibidas, tampoco prohibidas del todo, ahora hasta se anuncian en la televisión pero entonces eran casi clandestinas, Betty Boop estaba siempre metida en brujas y santiñas y echadoras de cartas, la señora Aurelia vivía en Los Castros, detrás de los depósitos de Campsa, en una casita minúscula, muy modesta, de techo bajo, la calle era un barrizal pero a la puerta había siempre cola, los clientes tenían que esperar varias horas bajo la lluvia, leyendo tebeos o rezando el rosario, la verdad es que no hablaban mucho, nadie quiere contar sus desgracias. La señora Aurelia antes se llamaba la señora Evangelina, pero se mudó de nombre cuando la prendió la guardia civil.

—¿Por roja?

—No.

—¿Por proxeneta?

—Tampoco, por estraperlista, le traían aceite de Jaén y trigo de Palencia y de Valladolid y ella se ganaba la vida repartiéndolo entre los compradores, todos tenemos que vivir, la verdad es que disimulaba poco porque lo sabía todo el mundo.

La señora Aurelia echa las cartas sobre una mesa de camilla con mantel de hule a cuadritos blancos y de color de rosa, en la pared hay tres cromos grandes de mucho brillo, el Sagrado Corazón de Jesús, Nuestra Señora de los Dolores y su padre, que fue sargento en la guerra de Melilla, vestido de uniforme de gala; también tiene La Sagrada Cena en alpaca.

—¿No es en plata Meneses?

—No sé, bien mirado es lo mismo.

La señora Aurelia pronuncia bien las ges y las jotas, pero no las ces, habla con la ese.

—Verás, filliña. Un caballero ronda por las puertas de tu casa, lo que quiere es entrar en tu corazón. Hay una viuda relacionada con un hombre de mando, un general o un gobernador, que no te quiere bien, le gustaría que te preñase un tiñoso y te pegara la tiña y más la tisis. Recibirás carta de un pueblo de fuera, recibirás carta de un americano y vas a hacer rabias, vas a criar rabias por unas prendas que esperabas de un hombre joven y que no te llegan ni te llegarán nunca. Aquí salen también lágrimas pero no te preocupes, neniña, porque sale otra vez victoria, ¿veslo?, el as de oros, durante siete mañanas has de tomar el jugo de un limón amargo y rezarle siete avemarías a Nuestra Señora del Buen Fin para que el as de oros coja fuerza, el limón puedes echarlo en agua si ves que está muy ácido. Ahora vamos a hacer los tres montones.

En los tres montones volvía a salir lo mismo, el caballero rondador, la viuda influyente y enemiga, el tiñoso, la carta de América, el hombre joven que no manda las prendas, las lágrimas y al final la victoria: total, diez minutos, doscientas cincuenta pesetas de donativo voluntario, la señora Aurelia no cobraba pero admitía lo que le quisieran dar, Betty Boop se quedaba muy contenta cada vez que la visitaba.

—El hombre joven del que me habló seguro que era Pepito.

—¿El dentón?

—Sí; los demás no sé.

A mi tía Marianita le gustaban mucho las almendras garrapiñadas y las comía en todas partes, en el retrete mientras obraba, y hasta en la novena mientras rezaba el santo rosario, ésa fue su perdición, bueno, su mala pata cuando se le atragantó una; mi tía Marianita era viuda, había tenido dos hijos pero se los mataron en la guerra, uno en la batalla de Brunete y otro en el frente del Ebro, los dos eran alféreces provisionales de infantería; mi tía Marianita no tenía dinero, tampoco podía quejarse, tenía lo suficiente para ir tirando con dignidad y mirando mucho la peseta, lo que sí tenía eran dos cuberterías completas, una de ellas inglesa y muy pesada, y muchas bandejas y fuentes y jarras de plata, restos de pasadas grandezas, el oro lo había dado todo para la Causa cuando empezó la guerra civil, un reloj, la alianza, una medalla de la Virgen del Carmen y quizá algo más, cuando me llegué a su casa ya habían pasado por allí mis primos que arramplaron con todo, ésta es una costumbre familiar muy extendida, en cuanto los parientes ven una peseta se matan por llevársela.

—¿Y usted lo encuentra mal?

—No, yo no lo encuentro ni mal ni bien, eso es así y no va a cambiar por mucho que quisiéramos, pierda usted cuidado.

Aviso a los navegantes: boya luz roja situada Punta Bestia para balizamiento estrecho Rande se fue a pique.

Uno de los pisos de la casa de Linares Rivas lo alquiló una familia recién llegada de Ferrol, Matty y Betty Boop en seguida se hicieron amigas de los hijos, dos chicos, Tadeíto y Paco, y una chica, Lourdes, el padre era marino de guerra, capitán de corbeta, y se llamaba don Tadeo, la madre, doña Lourdes, era santanderina y estaba muy orgullosa de serlo, seguramente lo encontraba muy afortunado y distinguido, ella no decía santanderina sino montañesa, doña Lourdes era la única medio alta de la familia, los demás se quedaron bajitos; todos eran amables, cariñosos y simpáticos, doña Lourdes también, pero no tanto. La familia estaba muy unida, daba gusto verlos, y cuando el padre volvía a casa del trabajo, trabajaba en la Comandancia de Marina, le cantaban todos a coro una tarantela de la que jamás entendí la letra ni supe lo que quería decir:

Como le pare, como le mare,
sol de sur de la forela
ela ela verigüela
la familia del gogó.

Doña Lourdes era muy aficionada a las echadoras de cartas y en seguida le recomendó a Betty Boop que fuera a ver a la señora Basilisa, la santiña de Caldas.

—Es muy vieja y muy sabia, vas a salir de allí encantada porque acierta mucho.

Betty Boop cogió un día el ferrobús La Coruña-Vigo y se fue a Caldas a visitar a la señora Basilisa, volvió indignada porque apenas estuvo con ella cinco minutos, no le dijo más que dos cositas sin sentido y le cobró trescientas cincuenta pesetas, cien más que la señora Aurelia y además pidiéndoselas de malos modos, nada de donativo voluntario, era una maleducada; Betty Boop se puso furiosa y casi le reclamó el dinero a doña Lourdes, en eso no estuvo prudente, al final tuvo que intervenir Eva para que no se enemistasen las dos familias.

—¿Usted cree que entre los coruñeses de la Ciudad Vieja hay muchos endemoniados?

—Pues, la verdad, no sabría decirle, yo creo que no, que no hay muchos, vamos, habrá los corrientes.

En Vilatuxe, en la provincia de Pontevedra, la guardia civil mató a tiros en el monte al demonio Astarot Concheiro, que corriendo era como una bala, se conoce que le tiraron a traición y no le dio tiempo de escapar, se dice que al demonio Astarot Concheiro muy bien pudo haberlo denunciado Julián Santiso, el de la Comunidad del Amanecer de Jesucristo, por haberse metido dentro del cuerpo de Eva, aquí sí valen los asperges sobre todo si se dicen bien y el agua está recién bendita, con quienes no vale es con los caracoles de los que se hablará en seguida, tan pronto como se me dé autorización.

—¿Por qué eres siempre tan respetuosa con los que mandan?

—Porque estoy a punto de llegar a vieja y no quisiera verme en el asilo, yo no quiero morirme en el asilo y sin nadie que me cierre los ojos.

—¿Por qué tu marido usa eslip y no calzoncillo corriente?

—No lo sé, no se me ocurrió preguntárselo nunca.

El señor subsecretario, presidente nato de la comisión redactora, volvió a utilizar el pertinente tratamiento.

—Bien, prosiga usted con el relato de la crónica.

—Con la venia del señor subsecretario, del señor presidente nato.

El público tosía y medio alborotaba y hubo que llamarlo al orden.

—Silencio, por favor, guarden la debida compostura.

Los caracoles del cementerio de Iskilip pueden contagiar muy raras y peligrosas enfermedades, el sida la primera, no basta con lavarlos con agua bendita porque como son musulmanes y los exorcismos cristianos se les disuelven en la baba, el agua bendita no tiene efecto ninguno, eso es igual que querer pagar a los curas de un entierro con moneda falsa, ahí es donde empieza a chirriar la ley de Frienberg.

—¿De Freyberg?

—Quizá sí, jamás lo supe.

Ahora me doy cuenta de que he perdido la facultad de improvisar mentiras, ahora tengo que pensarlas, se conoce que voy para vieja, lo vengo diciendo desde que era joven.

Me parece que fue don Ataúlfo Fombuena, el juez de Arzúa, quien me dijo que los joyeros y los aparejadores se suicidan siempre tirándose por la ventana, los boticarios y los funcionarios se envenenan con barbitúricos, las criadas con aguarrás o con lejía, los marineros, los carpinteros y los plomeros se tiran a un pozo, antes se tiraban por un acantilado, los comerciantes y los cocheros de punto se ahorcan, también los taxistas, los militares se pegan un tiro y así sucesivamente, la señora de don Ataúlfo, aunque él no lo supo nunca, había tenido amores con don Calixto Méndez Gil, el marido de Ana María, el joyero que se tiró por la ventana, tuvo un mal momento, le fallaron las potencias del alma, tampoco es necesario que fallen las tres al tiempo, y se tiró por la ventana, se esmagó contra las losas del patio, lo de don Ataúlfo debía ser intuición, no digo los cuernos sino la idea sobre la forma de suicidarse algunos, hay jueces muy intuitivos, a la gente le hizo gracia el suicidio de Méndez Gil, la verdad es que no me lo explico, yo cada vez me explico menos cosas pero tampoco pregunto, se conoce que se me está debilitando la lamparita mágica de la curiosidad, el centillero de las siete luces misteriosas capaces de obrar milagros.

—¿Por qué las ovejas del matadero mueren sin quejarse? Se limitan a poner los ojos tristes y vidriados, mejor vidriosos, ni suplicantes siquiera, y se les seca la garganta, el matarife las degüella sin quitarse el pitillo de la boca, no conoce la caridad, ¿por qué las ovejas del matadero mueren sin quejarse?

—No lo sé, a lo mejor tampoco tiene explicación porque a nadie le importa saberlo, la gente es muy rutinaria.

A mi marido le dieron un metrallazo en el pecho durante la guerra civil, es amarga la idea de que las guerras civiles no dejen sino huellas hediondas que quizá hubieran podido evitarse, nadie debiera permitir que nadie finja proclamarse salvador de nada, ése es un camino muy ruin.

Matilde Meizoso, mi tocaya, le regaló a su marido un lote de libros. Sociedad Liquidadora Librera. Barcelona. Formidable liquidación en tomos de lujo. *La bestia humana,* de Emilio Zola, el papel de retrete La Jienense también es de buena calidad para escribir, quizá no tanto para otros usos más íntimos, *Los vagabundos,* de Máximo Gorki, en Karakasu no hay percebes, ¿cómo va a haberlos si está en el interior de la Anatolia?, en Karakasu y en Kizilkaboluk hay alacranes, escorpiones y víboras, también conejos, codornices y gacelas, *El príncipe idiota,* de Dostoievski, todo por 268 pesetas, más gastos de envío, los hombres vulgares no son más que nosotras y tampoco tienen historia.

—¿Ni saben contarla?

—Me imagino que no.

Y de regalo *El doctor Jivago,* de Pasternak, la paloma torcaz del demonio Belcebú Seteventos no dejaba de parir su mensual pelucona de oro, *Miguel Strogoff,* del inmortal Julio Verne, yo no soy sino una mujer sumida en la tristeza, anegada por la tristeza, ahogada en la más rítmica e incontenible tristeza, y *Aventuras de la novela negra,* con hombres duros y muy bellas mujeres, la policía detuvo a la Caralluda de Valadouro porque le partió la cabeza a un cabrito de un botellazo, lo más probable es que con razón, Trini la Madrileña y Carmeliña Conacha Brava le llevaban pitillos y tortilla de patatas a la cárcel, anís no porque lo prohíbe el reglamento, a los quince o veinte días la soltaron.

Un día vimos por la calle a un chico guapísimo, de aire agresivo y salvaje, parecía Tarzán, con el pelo revuelto pero muy cuidado y limpio, los ojos verdes, los labios rojos y carnosos, el porte atlético, con una zamarra de ante forrada de piel de borrego, iba muy a la moda, llevaba un violín en su estuche, después supe que se llamaba Miguel Negreira, que era artista y que su padre había hecho dinero con el volframio; las tres nos quedamos prendadas, casi enamoradas, pero ninguna lo volvimos a ver en mucho tiempo.

—¿Alguna de ustedes sabe el principio de Arquímedes?

—Sí, señorita, todas menos Araceli.

De vez en cuando las dos López Santana y yo merendábamos en el Galicia con unos chicos de Ferrol, los tres hijos de marinos, que estaban estudiando arquitectura en La Coruña, el mío se llamaba Juan Manuel y jugaba muy bien al ajedrez, el de Matty era un bellezón que se llamaba Rogelio, como el nombre no le gustaba le decíamos Filis, a Betty Boop, que era menos exquisita, le adjudicamos uno muy pijo, muy tontito, que nos daba mucha risa, no recuerdo su nombre pero sí que le llamábamos el Zanahorio porque tenía mucho acné y la cara muy colorada.

—¿Usted cree que los crímenes se preparan siempre en silencio?

—Me parece recordar que esto ya me lo preguntó usted otra vez, pero procuraré complacerle: los buenos crímenes, sí, sin duda, y los demás, ¿qué importa a nadie?

Los ferrolanos tenían alquilado un piso en Riego de Agua, cerca de la Diputación, en la otra acera, casi esquina a la calle de la Trompeta, a veces nos reuníamos a cantar y a tocar la guitarra, pero la cosa jamás pasaba de ahí; un día, durante las vacaciones de Semana Santa, nos fuimos en autostop hasta Ferrol para verlos, nos llevó un dentista que trabajaba lunes y martes en Puentedeume y que no se propasó lo más mínimo, desde aquí fuimos en una camioneta de gaseosas y el chofer le fue pellizcando todo el camino a Matty, que era la que le quedaba al lado.

A mi marido y a mí nos clavaron en la cruz

de San Andrés para que sirviéramos de ejemplo a los hijos de familia, a las hijas de familia, éstas aprendieron la lección todavía peor que sus hermanos; mi marido, cuando agonizábamos en la cruz, cuando ya casi no nos quedaba aliento, me preguntó,

—¿Cuántos estúpidos crees que se precisan para formar un coro que cante la loa de los crucificados medianamente bien?

—No tengo la menor idea, a lo mejor no muchos.

Don Severino Fontenla, el cura castrense medio putero, se encontró en la calle con Guillermina Fojo, la nuera de Faneca, y se pusieron a hablar:

—¿A usted qué le parece eso del yoga y la meditacion trascendental, don Severino?

—¡Calla, hija, calla! ¡Cuando el diablo no sabe qué hacer, con el rabo espanta las moscas!

A mí me dieron un papel en el que se leía que en nuestro interior existen tremendos poderes y facultades de los que no somos conscientes, me lo dieron en los Cantones, se lo daban a todo el mundo, para mí que esto no es verdad del todo, tampoco somos conscientes del bazo o del páncreas, la práctica del yoga y la meditación nos ayuda a despertar la más elevada de las inteligencias, bueno, ¿y qué? Loliña Araújo nunca se llevó bien con su nuera Guillermina, a Loliña Araújo, a pesar de los años, los hombres le siguen gustando más que a su nuera, no digo que ésta sea lesbiana, no, a mí me parece que pasa de todo, que lo único que le gusta es mandar, bueno, esto tampoco se sabe nunca y lo mejor va a ser callarse, no merece la pena pasarse la vida argumentando.

—¿Alguna de ustedes sabe el teorema de Pitágoras?

—Sí, señorita, todas menos Araceli.

—Bien. ¿Alguna de ustedes conoce la geometría cuatridimensional de Minkovski?

—No, señorita, eso no lo sabemos ninguna, eso no viene en el libro.

En La Coruña muere casi todos los días una cigarrera jubilada, da pena ver cómo a la historia la barre el viento, La Coruña es ciudad de mucho viento, sopla por todas partes, a las mujeres nos levanta las faldas y a los hombres les hincha la cabeza, se la llena de fantasías.

En Ferrol, de pronto, vimos al del violín vestido de marinero, el del violín era Miguel Negreira, estaba haciendo la mili y le quedaba ya poco para cumplir; ni cortas ni perezosas fuimos a saludarlo, él también se había fijado en nosotras y nos había reconocido, y quedamos en vernos cuando volviese por La Coruña. Después, cuando nos enteramos que el del violín era profesor de violín, a Betty Boop le faltó tiempo para apuntarse a sus clases particulares, las impartía, vamos, las daba muy serio y poseído, muy en su papel, en la calle de Rosalía de Castro, 27, estudio, a un grupo de jóvenes, tres chicos muy espiritados y pálidos, Bernabé, Cristino y Nicolás, y dos chicas muy alegres y animadas, Adelita, que también era poetisa y recitadora, bueno, iba camino de serlo, y Betty Boop, que estaba especializada en Rabindranath Tagore, sin duda por influencia de su hermana, y en Bécquer y Juan Ramón Jiménez, a estos poetas la aficionó la madrileña Shell. Betty Boop y el del violín, además de verse en las clases, se solían encontrar en la piscina de la Hípica, tampoco siempre; Miguel Negreira andaba mucho con Lucas Muñoz, que era muy simpático, muy cariñoso y culto y que se había licenciado ya en filología clásica, sabía hasta sánscrito y hebreo. Un domingo quedaron los tres en ir a bañarse a la playa de Balcobo, más allá de Arteijo, que era de muy difícil acceso y estaba casi siempre vacía, a la playa de Balcobo había que ir desde la playa de Barrañán y saltando por encima de las rocas, ésta es ya la mar abierta y las olas baten con mayor o menor fuerza pero todo el año. Betty Boop iba de medio tacón y Miguel la cogió en brazos para cruzarle las peñas sin que se mojase; ya en Balcobo la puso sobre la arena con una delicadeza infinita, con un mimo amoroso y enfermizo, y él y Lucas, cada uno por su lado, la estuvieron adorando en silencio toda la tarde y sin rozarle siquiera la piel, Betty Boop se sentía como un rosa, quise decir como una diosa.

A Baldomero, el sacristán de Santa Lucía, le gustaba mucho leer la *Historia de España* del padre Mariana, el de sacristán no es un oficio muy instruido, es cierto, pero siempre hay sus excepciones a todo.

—¿Usted cree que la historia hay que contarla con detalle y parándose en minucias y pejigueras?

—Sí, sin duda, con todo detalle y sin pararse en nada, la historia no es más que el detalle y su interpretación, lo demás es la crónica; si se le quita el detalle, la historia se esfuma porque los sucesos no acontecen de forma general sino particular.

—Sí, puede que tenga usted razón, no se lo

niego, yo aprendo algo cada día que pasa, en eso soy muy afortunado.

Baldomero Calvete no se siente con fuerzas para luchar contra el feo vicio de la masturbación, parece un mico, entre cuidar la iglesia, leer al padre Mariana y masturbarse se le va la vida, debe andar ya cerca de los cincuenta años. A la salida de la novena del Carmen, doña Concha Reigosa le dijo a doña Fermina la del registrador:

—¿Qué opina usted de eso que se dice de que Loliña Araújo comete actos deshonestos con el sacristán en el primer confesonario de la izquierda según se entra de la calle? Que Dios me perdone, pero es un rumor muy extendido.

—¡Quite usted allá, mujer! ¡Quite usted allá! Ésas no son más que habladurías y murmuraciones de gente desocupada, si la gente trabajase más no pasarían estas cosas. ¿Para qué iba a querer Loliña Araújo meterse en esas aventuras sacrílegas teniendo a Evaristo?

—Sí, eso es lo que yo pienso, pero parece que no es así, todas sabemos que Evaristo no es de Loliña sino de su consuegra doña Clara, Evaristo es el jardinero de doña Clara, el del invernadero de San Pedro de Nos, lo de Loliña y el sacristán Baldomero es otra cosa, cierta o falsa pero otra cosa, yo ni quito ni pongo rey.

—Sí, ya entiendo, ahora ya entiendo, es triste eso de que le cuelguen a una lo que no hizo.

Doña Concha Reigosa hace ya lo menos siete años que no peca más que contra el mandamiento de la ley de Dios que prohíbe levantar falsos testimonios y mentir.

—¿Cuál es?

—No sé, no lo recuerdo bien, el octavo, creo que el octavo, sí, es el octavo, el séptimo no robar, el octavo no levantar falsos testimonios ni mentir, el noveno no codiciar la mujer de tu prójimo, tomando carrerilla desde el principio salen todos.

—Sí. ¿Y las mujeres podemos codiciar al hombre de nuestras amigas y nuestras vecinas, al hombre de las demás?

—Eso no lo sé y además tampoco quiero meterme en líos.

Los tres excursionistas de Balcobo, cuando volvieron a La Coruña se fueron a casa de Lucas que también era buen cocinero, Lucas lo hacía todo bien, bueno, digamos que casi todo, con las mujeres tengo mis dudas.

—Puedo daros coca-cola o fanta, no tengo vino.

—No importa, yo no bebo.

—Ni yo.

Lucas sacó coca-cola de la nevera, les puso unos amorosos valses de Chopin en el tocadiscos, se metió en la cocina, les preparó unos espaguetis carbonara riquísimos, se los sirvió y se esfumó, Lucas sabía que Betty Boop era más de Miguel Negreira que suya, vamos, la verdad es que suya no lo era nada, él tampoco tenía ninguna otra, pensaba que las mujeres éramos poco de fiar; en la cena la pareja habló de cosas banales e intrascendentes, los versos de Adelita, la inmensidad de la mar, la belleza de la música, cómo el amor puede llenar la vida entera, y después se sentaron en el sofá, encendieron un cigarrillo, ¿tienes un porro?, no, yo no fumo porros, fumé uno un día y no me gustó, entornaron los ojos y esperaron hasta sentirse abrazados y besándose, todo llega a su tiempo y es siempre malo precipitarse, Lao Tse culpaba a la prisa de todos los males, esto se lo oí decir a Lucas Muñoz más de una vez.

Todos y todas nos sentimos descubridores del vicio y cómplices del vicioso, si Betty Boop hubiera sabido que su padre iba al gimnasio a ver atletas en la ducha, se le hubiera venido el mundo abajo, si Betty Boop hubiera sabido que su madre iba a la sauna a ver mujeres desnudas y a las últimas filas del cine a escuchar los quedos jadeos de las masturbaciones recíprocas, se le hubiera caído el mundo encima, Betty Boop también se sentía la inventora del vicio, Lucas Muñoz le explicó una noche al violinista lo que dijo Baudelaire: no busques más en mi corazón, se lo comieron las bestias. Matilde Lens, la partera de Entrecruces, ya van tres Matildes, no bebe más que gaseosa La Flor de la Gramela.

—Toda la historia que usted me cuenta es repugnante, yo prefiero los chulos a los maricones y las putas a las lesbianas, yo prefiero los accidentados a los enfermos, se conoce que soy una mujer de ideas antiguas, también quiero decirle que aguanto mejor a los maricones que a los chulos; según para qué, tienen mejor corazón.

Betty Boop aquella noche del violinista fue inmensamente feliz en la cama, aunque después dijera que no, tanto las decepciones como los derrumbamientos pueden llevar a la mujer a la mentira, otra vez el octavo mandamiento, el amor propio puede producir los mismos confusos efectos aunque camine por otros senderos.

Javier Perillo, el que merendaba en casa de doña Leocadia y de doña Clara Erbecedo, también parece ser que se acostaba con ella, con doña Clara y quizá con doña Dora, la de don Leandro, estaba especializado en viejas, era amigo de Miguel, el violinista, y de Fran, el hermano de Betty Boop, ésta era muy valiente pero le daba miedo que se descubriese el pastel, La Coruña en esto es como un pueblo, en esto son como un pueblo todas las ciudades del mundo y en España, más.

—¿Incluso más que en Marruecos?

—No, eso no, digamos que de otra manera.

Don Alfonso, el comandante retirado que se tiraba pedos por lo bajo en casa de doña Leocadia iba algunas noches por los bares de putas, la afición es la afición, don Alfonso era cliente de la Orensana, doscientas y la cama, que se tupía de ginebra en el bar Cartagena de la calle del Papagayo, por el bar Yenka iba menos, aquí triunfaba Manolita Matueca, que era de Laracha, la llamaban la Hormiga Atómica porque iba en moto, Manolita era pequeña de estatura pero dicen que muy juguetona en la cama, en los bares de la calle de la Florida también había buenas hembras, los hombres llaman hembras a las mujeres en determinadas circunstancias, las había mejores en el Carballeira que en el Añón, la leonesa Regina Sopeña era una real hembra, vivía en la calle de San Agustín, en un primer piso muy bien puesto, y en su casa guardaba dos mantones de Manila, Regina pesaba lo menos setenta kilos y a los hombres los desnataba, los dejaba como un guante, Segunda Couto también estaba buena pero era otra cosa, Segunda Couto quedaba un poco borde de maneras pero estaba muy buena y era complaciente y alegre, había varias mujeres más como se puede suponer, pero esto tampoco es un censo.

A eso de las dos de la mañana Miguel le dijo a Betty Boop que iba un momento a su casa a buscar el traje de marinero para volver a Ferrol a primera hora, Betty Boop había gozado mucho, ¿cuántas veces?, ¡vete tú a saber, llevar esa cuenta es una vulgaridad!, y se quedó dormida, a las seis se despertó sobresaltada, vio que seguía sola, se asustó, se vistió, y se fue para su casa corriendo, entró por el piso de abajo para que sus padres no se enterasen de que había estado fuera toda la noche, sus padres aún no se habían separado, claro, y el piso de Linares Rivas era un dúplex. En la calle de la Franja esquina a la calle de la Trompeta, en la otra acera que el hotel Primitiva Luz, había una casa de citas de tapadillo adonde fui algunas veces con don Valentín el de correos, yo no sé por qué cuento esto que ni viene a cuento siquiera, don Valentín era tío del violinista, se conoce que por eso me acordé ahora. Juan Manuel, Filis y el Zanahorio también eran amigos de Fran, se encontraban en el bar Anduriña, en la calle de la Estrella, esquina a Mantelería, que era famoso por sus tapas, pasaban constantemente bandejas de tapas, en el Anduriña fue donde mataron a uno de una puñalada por aplaudir un gol del Barcelona, estaban dando el partido por televisión. Uno de los sitios de La Coruña donde más sopla el viento es en la calle de la Amargura esquina a Alfonso IX yendo hacia la plaza del General Azcárraga, allí volamos todos por el aire. Betty Boop entró con los zapatos en la mano para no hacer ruido, abrió la puerta con todo sigilo, pero el collar de bolas se le enganchó en el picaporte, se le rompió y las cuentas hicieron un gran estruendo al caer contra el piso de madera.

—Pido permiso al señor gobernador del Banco de España para una cuestión de orden.

—Concedido.

—Gracias, señoría. Con la venia, cuando hablo de las dos hermanas López Santana y de mí y de nuestras aventuras estoy mintiendo, yo no anduve jamás metida en semejantes tutes, tampoco quisiera hacerme la estrecha, pero esto que digo es verdad, yo escribo a veces en primera persona para complacer a mi agente y a mi editor, tanto Paula Fields como Gardner Publisher Co. tienen sus prejuicios y sus manías (y motivaciones maniáticas), lo verdaderamente ejemplar es que todo lo convierten en dinero, todo lo que tocan se vuelve dinero y son capaces de vender los más raros productos de la subinteligencia. Supongo que está completamente claro lo que quiero decir, eso de echar el yo por delante no es más que un subterfugio, otros le llamarían licencia poética.

Aquella noche estaba durmiendo en casa de las López Santana, lo hacía algunas veces, sus padres no se despertaron con el ruido de las cuentas del collar de Betty Boop, sólo lo oímos Matty y yo, que nos sentamos en la cama para que nos lo contara todo, dónde había estado, con quién, qué había hecho, todo, absolutamente todo. Betty Boop habló de su día y su noche con pelos y señales, sin omitir detalle, con más delicada ilusión del día en la playa de Balcobo que de la noche en casa de Lucas con el del violín, Betty Boop estaba muerta de risa, la risa también puede ser una coraza, una trinchera, la risa también puede ser el disfraz de la amargura.

—Estoy locamente enamorada de un miserable,

además tiene los testículos pequeños como huesos de cereza y el pene tan ridículo que ni lo sentía, estoy desesperadamente enamorada de un miserable, esto me pasa a mí porque soy una estúpida, no tengo perdón de Dios.

Entonces se echó a llorar y después se quedó dormida, Betty Boop no volvió a las clases de violín. Su madre, a eso de las diez o diez y media nos preparó un desayuno delicioso, café capuchino, cruasanes recién salidos del horno, torta de Guitiriz y galletas con mantequilla de Arzúa.

III

Planteamiento

All the world's a stage,
And all the men and women merely
players.

SHAKESPEARE,
As you like it, II, vii, 113

ME ARMO DE PACIENCIA y de ira y confieso con un absoluto descaro haber infringido deliberadamente toda cuanta norma se me quiso imponer, mi marido y yo exigimos que se nos reconozca que vamos a pagar un precio muy alto y muy caro, que vamos a pagar en oro y esmeraldas y con cumplidas creces todos nuestros hediondos e ingenuos pecados mortales; si se nos va a quitar la vida clavándonos en la cruz de San Andrés para que los cuervos se rían de nuestras derrotadas miserias, queremos que se nos autorice a seguir pecando sin caridad hasta que exhalemos el postrer aliento: al castigo infinito debe corresponder la licencia para seguir pecando ya que, por generosa que fuere, jamás llegará a infinita.

—¿Podría usted jurar que la reclusa inglesa que parió sin que le soltaran las esposas se llamaba Mary Berriedale?

—No.

—¿Y Ana Barnstaple?

—Tampoco.

—Bien, puede retirarse.

Clara Erbecedo fue una mujer guapa y extraña, ahora hay que hablar ya en pretérito, por aquí casi todas las mujeres son guapas y todas extrañas, los seres humanos son muy raros, mi tía Marianita fue siempre muy rara en su vulgaridad, y Raúl Barreiro, el novio que le dijo a Betty Boop que tirara al niño recién nacido por el retrete, también, tiras dos o tres veces de la cadena y no se entera nadie, vamos, no se entera ni Dios, todo el mundo es extraño, esto no debe ser dudado por nadie por raro que fuere, por extraño y desdibujado que fuere, Clara Erbecedo murió el mismo día que Gitanillo de Triana, el 24 de mayo de hace ya veinticinco años, Gitanillo se mató en accidente de automóvil, iba con su yerno Héctor Álvarez, novillero venezolano, que se mató también, venían de Villa Paz, la finca de Luis Miguel Dominguín, Clara Erbecedo murió de cáncer de útero, le picó la víbora de la espigaruela y no pudo resistirlo, el cáncer es igual que el accidente de carretera. Su hijo Jacobo publicó la esquela en los dos periódicos de La Coruña. Doña Ermitas Erbecedo Fernández, Clara, viuda de López Carreira, falleció en su casa de San Pedro de Nos el día 24 del actual, a los sesenta y tres años de edad, después de recibir los Santos Sacramentos y la bendición de Su Santidad. D.E.P. Sus hijos, Santiago y Vicenta; hijos políticos, Eva Santana Araújo y Enrique Canelas Pose; nietos, Diego, Francisco, Marta, Claudia, Rebeca, Rodolfo y Benjamín Carlos; hermanos, Florián (sacerdote) y Heliodoro (ausente); sobrinos y demás familia, y sus fieles servidores Rómula Restande Iglesias y Evaristo Cruces Silva, ruegan a sus amistades, etc., dos meses después se llega a la Luna, pero todo sigue igual, Bertrand Russell afirma que se ha expandido el ámbito de la estupidez humana, ya se dijo. Esto de los nombres es en ocasiones confuso porque la gente no se llama siempre como se llama sino como quisiera llamarse, lo único que se explica en la esquela mortuoria es que a Ermitas le llamaban Clara, también conviene precisar la correspondencia onomástica que se expresa a continuación: Ermitas, Lucía, además de Clara; Santiago, Jacobo; Vicenta, Mary Carmen; Diego, Pichi; Francisco, Paquito y Fran; Marta, Matty; Claudia, Betty Boop, y Rebeca, Becky, a los hijos de Mary Carmen se los llamó siempre por sus nombres, lo más en diminutivo, Rodolfito y Benjaminín, si la gente leyera con más atención no harían falta estas enojosas repeticiones.

La tormenta no obedece a la rosa de los vientos ni al motor de vapor, la tormenta viene de donde quiere y no respeta lo que señalan los instrumentos de navegación, el norte magnético no es más que una referencia, cuando la tormenta se pinta de norte a sur, de las islas Gabeiras al cabo Prioriño para saltar después a la punta de Seixo Branco, las gaviotas se refugian en tierra y se esconden más allá de Carral y de Montouto, nadie sabe quién gobierna la brújula de las gaviotas. Fran cazaba gaviotas con anzuelo desde la terraza de su casa, ponía una miñoca de cebo, lanzaba la caña lo más lejos posible, cuanta más distancia y altura más emoción, y las cazaba al vuelo, después cobraba el sedal, las desenganchaba y las soltaba porque no sirven para comer, están muy duras. Matilde Verdú estaba obsesionada con la idea de la muerte.

—¿Tú crees que se puede morir sin fe bastante?

—No, si creyeses en la vida con pasión, si te

agarrases a la vida como una lapa, serías inmortal, pero al primer desmayo te morirías entre las carcajadas de los tuyos, todos sentados en el suelo, todos vestidos de limpio y todos borrachos.

—Es horrible esto que me dices.

—Perdóname, no pude evitarlo.

Betty Boop cree más en la vida que en la muerte y ama la aventura imprevista y la zancadilla de la monótona ruleta que decide quienes han de morir cada mañana y de qué manera, Betty Boop vive inmersa en el sueño o flotando en la vida, pero no pudo nunca echar raíces en la tierra.

—¿Te gusta volar?

—Sí.

—¿Y nadar?

—También.

—¿Más en la mar que en la piscina?

—Sí.

—¿Y andar por el campo o por las calles de la ciudad?

—Menos.

En el Cerro de los Ángeles, Franco renovó la consagración de España al Sagrado Corazón de Jesús. Franco inauguró la nueva iluminación de la catedral de Córdoba. Franco inauguró la presa y el embalse de Iznajar. Betty Boop puso fin a su recua de novios casándose con Roberto Bahamonde, un aparejador de Ribadavia violento, mandón y autoritario, que la puso firme ya desde el noviazgo, yo creo que hasta le sacudía con la mano o con el cinto, Betty Boop le había regalado un cinto de cocodrilo muy elegante de color negro, Roberto le daba trallazos restallantes y se reía mucho, Betty Boop se dejaba gobernar y él no le daba descanso y hacía el amor con ella, siempre a lo bravo, donde se encontrasen, no desperdiciaba ocasión, en la playa, en el coche, en el portal de su casa, en un palco del teatro Rosalía, en el campo, la verdad es que todos los sitios pueden ser buenos. A Betty Boop la mueve un resorte misterioso, venenoso y audaz, Roberto salió de viaje y Betty Boop se fue en bicicleta hasta el puente del Burgo y paró un camión.

—¿Me lleva? Estoy cansada de pedalear.

—Sube, pon la bici ahí detrás. ¿Adónde quieres ir?

—A Santiago.

—Venga, sube.

El camionero iba en camiseta y fumando una tagarnina, tenía el pecho recio y peludo, los brazos poderosos y tatuados, el cuello fuerte y la cabeza grande, del sobaco le nacía una pelambrera más que cumplida y tenía también la voz solemne, grave y armoniosa, hablaba como un canónigo. Al llegar a Sigüeiro se metieron por la carretera de Vilarromariz a buscar el río Tambre, se pararon en la linde de la carballeira de Cotobal, justo donde empiezan los helechos.

—¿Te quieres bañar?

—Sí.

—¿Trajiste bañador?

—No, yo me baño desnuda si tú me defiendes.

El camionero se llamaba Saturio y tenía un sexo descomunal, muy cumplido y bien dibujado, Betty Boop jamás había visto nada parecido, Saturio no se anduvo con mayores miramientos y Betty Boop lo dejaba hacer, Saturio tumbó a Betty Boop sobre la yerba y le clavó violenta e inevitablemente lo mandado, Betty Boop no podía ni respirar, tampoco hubiera querido ni respirar, pero gozó casi con fiereza, gozó seguido y no alentando más que lo preciso durante mucho tiempo.

—¿Tienes bastante, señorita de la mierda?

Betty Boop sonrió, lo besó en la boca y le dijo que no, que no tenía bastante, que una mujer nunca jamás tenía bastante, que son los hombres los que se cansan de amar, los que se hartan de amar, los que se aburren y al final se espantan de amar. Saturio se llegó a la cabina y trajo medio jamón, un pan de hogaza y una bota de vino, es fácil pescar truchas con la mano, tan fácil que lo prohíbe la ley, se mete la mano debajo de una piedra del río y se sacan dos truchas relucientes y plateadas, saltarinas y escurridizas, las truchas pequeñas, las de cuatro o cinco dedos, se pueden comer crudas, sin quitarles ni las espinas ni las tripas, lo primero que se muerde es la cabeza para matarlas y que no se escapen, Betty Boop no había comido nunca truchas crudas y vivas.

—¿Te gustan las truchas así, como salen del agua?

—Sí, mucho.

—¿Y el jamón?

—También.

—¿Y el pan?

—También.

—¿Te gusta todo?

—Sí, todo.

Después Betty Boop se echó a llorar y Saturio se quedó medio desorientado; como no sabía lo que hacer, se subió al camión y se fue por la carretera abajo, a seguir rodando y rodando, con el azaramiento olvidó devolverle la bicicleta a Betty Boop.

A mi marido lo metieron en la cárcel por razones políticas, primero unos y después los otros, mi marido tenía una tía monja y otra sindicalista, con las ideas no se debe jugar porque pueden estallar en la mano.

Ahora vuelvo a escribir en papel de retrete marca La Condesita, que es sin duda el mejor, no sé ya cuántos rollos llevo, para contar naufragios y hundimientos lo más prudente es buscar soportes innobles y humildísimos, soportes que no resistan el paso del tiempo, para aguantar ya estoy yo que aguanto mucho, que aguanto más que nadie, sólo pido a Dios que no me mande todo lo que puedo aguantar sin mover un solo músculo de la cara, un solo nervio de la cara, ni siquiera los de los ojos, no probé nunca, pero creo que podría aguantar más dolor que un jabalí, más oprobio y todavía más humillación que un jabalí. Las enfermedades no respetan el talento, un genio puede morir de la misma enfermedad que un estúpido y a una virgen la puede matar el mismo cáncer que a una puta, la muerte ni distingue ni razona sino que se limita a segar todas las ilusiones con su guadaña, también todas las esperanzas y todos los descuidos y torpes desvíos.

—¿Por qué cierras los ojos con timidez cuando te leen el reglamento en voz alta?

—No lo sé.

—¿Por qué tu marido, en vez de lavarse con jabón medicinal, se perfuma el esfínter del ano con humo de sándalo?

—No lo sé, no he podido averiguarlo nunca, mi marido a veces es muy misterioso, muy introvertido y asustadizo, mi marido está asustado casi siempre, es muy huraño.

Raimundo Fanego, el pelirrojo que era guardia civil en La Estrada, le preguntó a Hipólito Parga, que había sido seminarista y que ahora era practicante en La Esclavitud:

—¿Una cara mentirosa debe ocultar lo que sabe un corazón falso, como dice el inglés?

—¿Qué inglés?

—Eso es lo de menos, contésteme a lo que le pregunto, ¿una cara mentirosa debe ocultar lo que sabe un corazón falso?

—¿Yo qué sé?

Hipólito Parga estuvo trabajando algún tiempo en La Coruña y le arreglaba los pies a mi tía Marianita, también le ponía inyecciones y lavativas, mi tía Marianita era muy estreñida, padeció toda su vida de estreñimiento, a veces estaba hasta diez o doce días sin ir al retrete y había que ponerle enemas medicinales, las mujeres solemos propender a estas servidumbres. Hipólito Parga estuvo durmiendo una temporada con Rómula, la criada de Clara Erbecedo, entraba por la noche por el portillo de la huerta y salía antes del amanecer por el mismo sitio, Rómula no era ya ninguna niña pero lo trataba con cariño, le lavaba la ropa y le daba bien de cenar y de desayunar, hay que corresponder y ser agradecido, Rómula le daba de cenar bistés a la plancha, casi crudos o sea vuelta y vuelta, o sardinas asadas cuando era el tiempo, o huevos con chorizo y patatas fritas, antes una ensalada de lechuga, tomate y cebolla y de postre mermelada de ciruelas o queso con dulce de membrillo, también le daba siempre café y una copa de aguardiente de orujo, Hipólito Parga se acostaba con Rómula siempre en posición natural, en cualquiera de las siete posiciones naturales, en esto no se deben hacer concesiones ni improvisar.

Al comandante don Alfonso no lo delataba el ruido sino el pestilente olor, debía estar medio podrido, don Alfonso era más bien zullenco que pedorro. En el bar Cartagena la Orensana, doscientas y la cama, solía decirle:

—Don Alfonso, ¡a peerse a la puta calle y lo más lejos posible, que me está usted atufando la ginebra!

La Orensana no tuteaba a don Alfonso ni en los momentos más íntimos, el respeto a las autoridades no está reñido con darles gusto y hacerles disfrutar.

—¿Usted cree que Javier Perillo terminará algún día el peritaje mercantil?

—Yo no quisiera gafar a nadie, pero me parece que no, él va bien así y se deja llevar por la vida.

—¡Qué cómodo resulta!, ¿verdad?

—Pues no sé qué decirle.

La poetisa Adelita publicó un libro de versos en gallego, *Anduriña tola,* y dijo en el periódico que ella escribía poemas para gritarle al amor y a la vida.

—¿Y eso qué quiere decir?

—Pues eso, que le grita al amor y a la vida con la voz que le sale del alma, esto me lo aclaró el poeta Garcés, que sabe mucho de poesía y de arte, el poeta Garcés sabe mucho de todo.

—Ya, ya..., ¡qué horror, qué cosas dicen algunas!

Ángel Cristo, el domador más joven del mundo, con sus feroces leones abisinios. Circo Checo de Praga. Cinco únicos días en La Coruña. ¡Improrrogables!

—¿Vamos al circo?

—Bueno.

Ha entrado en el puerto de Bilbao la escuadrilla de fragatas de la Armada española integrada por el *Vicente Yáñez Pinzón,* el *Legazpi,* el *Júpiter* y el *Vulcano,* que inmediatamente enfilaron la ría para quedar abarloadas junto a los muelles de Santurce, en el espigón donde atraca el ferry inglés *Patricia.* Betty Boop se casó antes que Matty, a su novio, Roberto Bahamonde Chas, algunos amigos le llaman Robert y otros Bob, a él le es lo mismo, la boda se celebró por todo lo alto pero con más pretensiones que resultados, esto pasa cuando no se miden bien las distancias y se queda uno con la cabeza caliente y los pies fríos o, como suele decirse, con el culo al aire. Según el periódico, la sagrada unión se bendijo en la iglesia de Santiago engalanada con profusión de luces y flores, y la novia, que estaba bellísima, lucía un precioso modelo de raso natural con encaje de guipour y flores de organza, y un velo largo de tul ilusión prendido con elegante tocado francés de gardenias; lo que no venía en el periódico fue la triste verdad, la verdad dolorosa y desnuda y tal como fue. Betty Boop, pese a los esfuerzos de Eva, su madre, estaba horrible, ella era una monada, pero ese día estaba horrible, el pelo lo llevaba recogido con dos ondas delante de la cara y no le favorecía ni poco ni mucho, a las pestañas les sobraba rímel y los ojos parecían dos tarántulas; el vestido era bonito, sí, pero Robert, antes de salir la novia para la iglesia, se metió en su habitación, le remangó las faldas y le echó un violento polvo de gallo...

—¿Y de urgencia?

—Sí, también.

... un violento polvo de gallo y de urgencia que la dejó tan arrugada como desmadejada, todos andaban nerviosos como gatos y con prisas y entrando y saliendo de un lado para otro y nadie se dio cuenta, a lo mejor lo que hicieron fue disimular; a Robert no le importó nada eso que se dice de que el novio no debe ver vestida a la novia, vestida de novia, claro, antes de salir de casa, porque trae mala suerte, Robert no era supersticioso.

—Eso de ser supersticioso es lo que trae mala suerte y yo no lo soy, yo no creo en estas supersticiones.

—¿Y en las otras?

—Tampoco, son todas lo mismo.

Robert se había hecho varios cortes al afeitarse, se conoce que también estaba de los nervios, y se presentó con la cara hecha un mapa, también llevaba el pelo muy mal cortado y parecía un quinto. Robert iba con un chaqué alquilado que le quedaba pequeño, los pantalones le venían cortos, y además tenía una mancha en la solapa. El banquete tuvo lugar en el Finisterre, los invitados bailaron a los acordes de las orquestas los Samar's, los Sallyv's y los Key's y la música no cesó ni un solo momento; Betty Boop fue de mesa en mesa despidiéndose de todos los invitados, muchos hombres se habían quitado la chaqueta y la corbata, se conoce que tenían calor, aquello empezaba a parecerse a un merendero, la novia llevaba la cola recogida en el brazo pero hecha un rabuño.

—¿No será un rebujo?

—Bueno, sí.

Betty Boop llevaba la cola del vestido hecha un rebujo, parecía un trapo de cocina, Eva sufrió mucho ese día al ver a Betty Boop hecha una facha pero procuró disimular, Eva estaba guapísima con un modelo de Dior azul noche muy elegante; también iban muy entonadas Matty con un traje largo gris perla que le dejaba los hombros al aire, su novio Hans Rückert había venido a la boda, y Becky, la pequeña, con un traje de terciopelo verde oscuro, que había llevado las arras, trece libras esterlinas; los que no iban bien vestidos eran los de la familia del novio, quedaban un poco horteras, iban todavía peor las mujeres que los hombres. A las mujeres se nos nota más el mal gusto que a los hombres.

—¿Podría usted prestarme la módica cantidad de cinco duros? Estoy en un mal momento y créame que me duele tener que recurrir a usted, hágase cargo.

—Dios le ampare, hermano, no me es posible socorrerle.

Adriano Aceijas era un sablista especializado en bodas y velatorios, los bautizos y las primeras comuniones también se le daban bien, pero no tanto, se conoce que tienen menos misterio, menos morbo, éstos son actos más rutinarios y la gente casi no se excita ni se entrega, tampoco se entrega. Adriano Aceijas se mostraba muy insistente, muy perforador del sentimiento, y se presentaba con tan buenos modales que al final siempre solía sacar algo, la verdad es que en las ciudades de tamaño medio no falta nunca un alma caritativa. Adriano Aceijas era maestro de escuela y lo echaron del escalafón por rojo, había estado afiliado a la Orga, la verdad es que tuvo suerte porque podían haberle dado el paseo, otros por menos llevaban ya varios años en el otro mundo.

—Muchas gracias por escucharme, por haberse dignado prestarme su atención, servidor de usted.

Doña Elisa Valladares Llorente, de setenta y ocho años de edad, huérfana del almirante Excmo. Sr. Don Isidro Valladares Mariño, falleció en el Ferrol del Caudillo el día 2 de los corrientes, bajo el manto de la Virgen del Pilar y reconfortada con los Santos Sacramentos. Don Jacobo le regaló un piso a su hija Betty Boop, pequeño pero muy mono y bien instalado y equipado con calefacción, cocina moderna, electrodomésticos, todo lo preciso en modalidad lujo, en la calle de Menéndez Pelayo, entrando por Linares Rivas la primera de la derecha, o sea casi frente a la mar, el piso de Betty Boop está siempre revuelto y sucio, con todo manga por hombro y destartalado y desordenado, ella era una calamidad, saltaba a la vista, yo creo que iba ya para loca; Robert vendió su parte en el estudio de aparejadores de Ribadavia y se instaló por su cuenta en Betanzos, iba y venía todos los días porque Betty Boop no hubiera querido salir de La Coruña, a Robert las cosas le iban bastante bien y tenía trabajo.

—Lo importante es tener trabajo, ¿verdad, usted?

—Sin duda, y salud, no lo olvide, lo importante es tener trabajo y salud, eso es lo primordial porque lo demás viene solo.

—Claro.

De repente pasaron muchas cosas en poco tiempo: al comandante don Alfonso lo operaron de la próstata, eso le acaba pasando a casi todo el mundo; Franco visita la zona regable de Bembézar; Heliodoro Erbecedo Fernández, el hermano de la fallecida Ermitas, o sea Clara, que reside desde hace muchos años en Buenos Aires, está haciendo un viaje por Europa y pasa por La Coruña; el hombre más viejo del mundo se llama Shiraly Mislimov, tiene ciento sesenta y cuatro años de edad y vive en la aldea de Barravu, en el Azerbaiján; dos señoritas en monobikini son detenidas en Sevilla; el joven cubano Armando Socarrás viaja de La Habana a Madrid en el tren de aterrizaje de un avión de Iberia soportando temperaturas de hasta cuarenta grados bajo cero.

—Usted antes dijo un rabuño, con a, y a mí me parece que es un rebuño, con e.

—No sé, puede que sí, quizá sí.

—Le repito, ¿en español no será un rebujo, con e y con jota?

—A lo mejor, no le digo que no.

A los pocos años, Betty Boop tuvo una niña, María Pía, pero no le hace demasiado caso, a María Pía la cuida Rosiña Abeledo, una asistenta muy maternal y con mucho instinto que estuvo casada con un carabinero que la dejó viuda a resultas de una borrachera, la dejó viuda y con seis hijos, Betty Boop no para un momento en casa, se pasa el día entero en la calle, sale a desayunar y ya no vuelve hasta la noche, se pasa el día por las cafeterías tomando batidos y dejándose invitar, cafetería Safeway, cafetería Manhattan, cafetería Challenger, cafetería Sithon's. Al cabo de algún tiempo Robert decide que se van a vivir a Porriño, cerca de su madre, cuando enviudó su madre, que era de Porriño, volvió a su casa de familia, a la casa en la que había nacido, eso es algo que suele tirar mucho; contra todo pronóstico Betty Boop se adapta bien aunque se lleva a matar con su suegra, eran muy distintas las dos, tampoco se llevaba bien Loliña Araújo con Guillermina Fojo, su nuera, es frecuente, es como una costumbre, Enriqueta Chas viuda de Bahamonde, la madre de Robert, era una mujer chapada a la antigua, muy devota y hacendosa, muy relimpia y conservadora, muy de estar siempre en casa arreglando armarios y haciendo postres de cocina, Chas no es apellido pontevedrés, pero el padre de Enriqueta, funcionario público, era de Correos, vivió muchos años en Porriño, tanto en activo como ya jubilado, y allí murió.

Una vez más hago firme propósito de la enmienda y me dispongo a poner un mínimo orden en mis recuerdos y en mis papeles, que a mi marido y a mí nos vayan a clavar en la cruz de San Andrés no puede ser disculpa para omitir los deberes, ni argumento que aspire a justificar el procedimiento doloso, debe leerse a Platón, sí, pero sin olvidar el catecismo, el mundo es un escenario y los hombres y las mujeres no somos sino meros actores con frecuencia poco y mal ensayados y con los papeles no del todo bien aprendidos.

Al cabo de dos o tres años Betty Boop, ya casada y esperando a María Pía, se le notaba bastante el embarazo, se encontró con Miguel Negreira, el profesor de violín, por la calle, empezaron a zumbarle los oídos y creyó que se le salía el corazón por la boca de lo emocionada que se puso.

—¿Y tú?

—Pues ya ves, pensando siempre en ti.

Miguel le contó a Betty Boop que había estado estudiando violín en Salzburgo, el violín es algo de lo que jamás se aprende lo bastante, nunca se llega a dominar del todo, y también le reprochó que se hubiera casado sin decírselo, ¿para qué esas prisas?

—Esto no se me hace, Claudia, yo me hubiera merecido otra cosa, jamás creí que fueras capaz de hacérmelo, yo te hubiera esperado siempre, Claudia, siempre, y tú lo sabes, tú tienes la obligación de saber que por ti hubiera hecho los mayores sacrificios y no me hubiera cansado nunca de esperarte.

Durante el tiempo que les duró la fiebre de amor, que fue hasta que Betty Boop tuvo que irse a Nuestra Señora de Belén a recibir a María Pía, los tórtolos se metían en la cama a diario de once de la mañana a tres de la tarde, Miguel era un sibarita y para él no había nada mejor que acostarse con una embarazada en los últimos meses de gestación; después se tomaban un sandwich de huevo, jamón y queso, un tres en uno, en el Linar, en General Mola entre Olmos y la calle Real. La vida barre todos los trances por hermosos o ruines que fueren, le ayuda la inteligencia, ésa es la servidumbre de la que no sabemos huir, nadie sabe huir jamás de nada y menos que nadie los enamorados, suele pensarse al revés, suele pensarse que todos sabemos huir siempre de todo y más que nadie los enamorados, Lucas Muñoz era capaz de recitar *La Divina Comedia* de memoria, Lucas Muñoz sabía hasta arameo, ¿qué no sabrá Lucas Muñoz?, Góngora llamaba ciego que apuntas y atinas, al amor; a Betty Boop se le fue diluyendo en la sangre aquel episodio, quizá el más bello y noble de su vida, y al final quedó todo en poco más que en un sueño borroso, duele mucho ver cómo se van haciendo borrosos los sueños que acaban por mermar y marearse, que terminan por difuminarse poco a poco y desaparecer como la voluta de humo azul de un cigarro habano, cualquier ánima del purgatorio, cualquier alma en pena de la Santa Compaña podría pedir hablar en el turno de ruegos y preguntas para decir: ¡Basta ya de ceremonias inútiles, carísimas y casi imposibles de ensayar! ¡Yo voto por la abolición de los impuestos indirectos, los uniformes de gala y la ley de herencia! ¡Procedamos a desterrar los castigos corporales! ¡Sáquesenos de aquí! ¡No es posible que sea Dios quien nos tenga encerrados aquí!

—La veo a usted muy pesimista, Rita, muy reprimida.

—No crea, Guillermina, no estoy nada pesimista ni menos aún reprimida. Y además yo no soy Rita, Guillermina, yo soy Tomasa, debiera usted recordarlo.

—Dispense, Tomasa, hija, ¡qué tonta soy!

El cáncer de próstata no es de los peores, mi marido, antes de que lo clavaran en la cruz de San Andrés, la verdad es que nos clavaron a los dos al mismo tiempo y uno frente al otro, en esto de las crucifixiones de nada valen los handicaps, para nada sirven, mi marido decía siempre, le iba diciendo, que él prefería un cáncer de próstata a un traje marrón o una gorra con la visera de hule como la que llevan algunos alemanes, mi marido fue siempre un si es no es exagerado y caprichoso. Matilde Verdú fuma demasiado y, claro es, tose como una oveja, si no está tísica va camino de estarlo, no se puede fumar con semejante avaricia, con semejante voracidad, don Pedro Rubiños y Jesusa Cascudo tenían malos y deleitosos pensamientos recíprocos, tampoco más de lo que se dice, tenían reconfortadores y lascivos pensamientos recíprocos, él los situaba casi siempre en la playa o en un apestoso urinario municipal, y ella se los figuraba en los jardines del Relleno o bajo los soportales de la Marina poco antes del amanecer, cuando la noche es más oscura. Don Pedro Rubiños invitaba a veces a Jesusa Cascudo a café cortado y aprovechaba la ocasión para imaginársela desnuda, con el pelo suelto y sin faja.

—Nada me importa que se desfonde un poco, la juventud pronto pasa y después todos nos esbarroamos, unos más y otros menos.

Jesusa Cascudo se representaba a su galán en calzoncillos, con los zapatos puestos, el bulto muy marcado, el pecho peludo y la voz más grave que en el café.

—A lo mejor no es así, los hombres están llenos de sorpresas.

Don Pedro Rubiños y Jesusa Cascudo, en cuanto dejaban de imaginarse escenas y consideraciones, volvían a hablar en voz alta:

—¿Quiere usted unas pastitas, amiga Jesusa?

—No se moleste, don Pedro, bueno, como guste,

yo encantada, por complacer, yo lo hago sólo por complacer.

Ana María Monelos estaba muy agradecida a don Pedro Rubiños porque le había abierto los ojos sobre las intenciones de Julián Santiso, el maestro ínfimo de la Comunidad del Amanecer.

—No seas tonta, Ana María, ése es un mangante que va sólo por tu dinero, un mangante espiritual, que son los peores, la salvación eterna no tiene precio, nadie le pone precio, y los intermediarios se quedan con los cuartos de los que se salvan, cada cual se las ingenia como puede para vivir sin trabajar y a fuerza de engañar incautos, esta gente recurre a todo, entérate bien, pero lo único que les interesa es el dinero, las viudas sois terreno abonado para sus trapicheos, si te hubiera llevado a la cama una sola vez estabas perdida, puedes creerme.

—No, Pedro, te juro que no me acosté con él.

—Me alegra saberlo, pero a mí no tienes que darme cuentas, y créeme que me duele que sea así.

A Ana María se le subió la sangre a la cabeza:

—¿Esto es una declaración de amor, Pedro?

Pedro le apretó la mano por debajo de la mesa y guardó silencio.

Pichi López también quiso violar a Luisa la de la sombrerería La Parisién, estos tímidos acaban siempre lo mismo, se repiten una y otra vez, la verdad es que varían poco, Luisa fue a llevar un sombrero para Eva, la madre de Pichi, éste le abrió la puerta porque la vio venir, notó como una calentura, la aculó contra el perchero, etc., don Jacobo, que venía de la calle, le pegó un bastonazo en las piernas a Pichi y Luisa aprovechó para salir huyendo por la escalera.

—Yo no sé lo que vamos a hacer con nuestro hijo, Eva, parece una mosquita muerta, pero es un salido, no sé si lo mejor no sería pagarle un abono en una casa de putas.

—¡No digas disparates, Jacobo! ¡Qué ocurrencias!

Betty Boop anduvo siempre haciendo equilibrios por las lindes de la depresión, estas jóvenes medio enamoradizas y medio mágicas tienen alma de trapecista de circo, pero les falla el sistema nervioso y eso es un peligro incluso grave, eso es siempre un peligro, es como un lobo hambriento que ataca sin avisar.

—¿Cuántas veces crees tú que puede aparecer el hombre de tu vida?

—No sé, ¿tres o cuatro?

—¿Treinta o cuarenta?

—No sé, no creo, yo digo tres o cuatro, treinta o cuarenta me parecen demasiadas.

A Betty Boop, a poco de romper con el violinista, le dio una depresión y los padres la llevaron al psiquiatra, antes se llamaban contrariedades amorosas y no la llevaban a una a ningún lado.

—Lo mejor será que la manden ustedes una temporada al campo a estar tranquila, a respirar aire puro, llevar una vida sosegada, comer mucho, oír música de Mozart y de Beethoven, leer libros apacibles y pasear, pasear constantemente, mañana y tarde; no voy a recetarle medicina alguna porque creo que con una vida sana y ordenada será bastante.

Eva y don Jacobo pensaron que un sitio bueno podría ser la casa de Xeliña, que había sido criada de ellos y que tenía una fonda en Visantoña, una aldea en el camino de Santiago poco antes de llegar a Ordes.

—Ahí podrá estar bien Betty Boop.

—Sí, yo creo que sí.

Xeliña es una mujer todo terreno, muy dispuesta y trabajadora, a la que no se le ponía nada por delante; Xeliña hizo su agosto cuando estaban construyendo la autopista del Atlántico, tenía todas las mesas llenas en dos turnos y eso deja mucho dinero, los ingenieros y los ayudantes comían en el piso de arriba, eso era a diario menos los sábados y domingos, pero estos días siempre recalaba por allí alguna familia que iba de excursión, a Xeliña le tocaron cuarenta millones de pesetas en el sorteo de Navidad de hace unos años, pero ella no dejó de trabajar ni un solo instante; Xeliña tiene un marido que es lo más parecido que hay a un caballo de a rapa das bestas, se llama Perico y anda siempre con un faria apagado y un mondadientes sucio en la boca sirviendo vinos y cafés y copas de caña, Perico se ducha todos los días con agua fría, incluso en el invierno y tiene un color rojo brillante muy saludable y el pelo negro y rizado y también brillante, Perico sostiene que las mujeres no somos más que las escupideras de los hombres y yo pienso que a lo mejor tiene razón, ¡ve una cada cosa! Xeliña era madre de dos hijas y dos hijos, Xeliña, Uxía, Periquiño y Curriño, que nació mongólico, Xeliña hija es muy hacendosa y trabajadora, tiene novio y toma la píldora, Uxía sueña con ser modelo de pasarela, luce buen tipo pero le faltan modales, Periquiño es un adolescente zángano y aburrido que está siempre cansado, no piensa más que en las motos, se pasa el tiempo yendo y viniendo en moto para arriba y para abajo, se cae con frecuencia y el día menos pensado se estrella contra un árbol y se mata, ¡Dios no lo haga!, Curriño es mongólico, ya lo dije, pero bastante espabilado para como suelen serlo estos muchachos, a Curriño le gusta mucho ver moverse las hojas del campo con la brisa, si no hay brisa Curriño coge una hoja de un árbol, nunca del suelo, y la mueve con la mano, después sonríe con mucha dulzura, si está en casa porque llueve o porque es de noche y no tiene una hoja, la finge con una servilleta de papel, la mueve y se queda como hipnotizado durante horas y horas, la verdad es que no da ningún trabajo. Curriño va al colegio de subnormales Padre Benito Jerónimo Feijoo, en Sigüeiro, llegando ya a Santiago, su padre lo lleva todas las mañanas en el coche, moja el pañuelo con saliva y le va limpiando las legañas por el camino. Xeliña piensa que los hombres son necesarios, pero sirven para poco porque son unos bestias y unos holgazanes.

—Los hombres son unos bestias, señorita Betty Boop, y también unos holgazanes, los hombres son necesarios, ya lo sé, ¡claro que son necesarios!, pero valen para poco porque están siempre distraídos, yo para librarme de mi Perico aprendí a conducir, así voy con la furgoneta a alguna romería o a ver a mi hermana Carmiña en Mabegondo o a mi hermana Miluca en Irixoa, mi hermana Miluca está muy bien casada en Irixoa. Mire, señorita Betty Boop, nosotros todo lo que tenemos ahorrado es gracias a mi trabajo porque mi hombre es un vago y más un zángano, ¡si lo sabré yo!, mi Perico es como el zángano de la colmena, yo ya no tengo tiempo de buscarme otro y además tampoco me atrevería porque más vale malo conocido que bueno por conocer, mi Perico se pasa el tiempo hablando con los obreros de la autopista y tomando aguardiente, el pobre Curriño me salió mongólico porque su padre estaba borracho cuando me lo hizo, lo recuerdo bien, fue en la romería dos Caneiros de 1961.

Robert Taylor fallece a los cincuenta y siete años de edad a consecuencia de un cáncer, el periódico dice que logró la fama junto a otras legendarias figuras de Hollywood, Clark Gable, Greta Garbo, Cary Grant, Jean Harlow, Gary Cooper, Joan Crawford, a lo mejor hay alguna letra cambiada en estos nombres porque los tomé al oído, el gobernador de California, Ronald Reagan, pronunciará un discurso con motivo de los funerales. *Vida íntima de la mujer,* por el padre Ureta y el padre Bueno, con revisión religiosa, 165 pesetas más 7 pesetas de gastos de envío. La mujer a través de sus más variados e íntimos aspectos. Consejos para la mujer y el matrimonio.

—¿Te acuerdas de lo que dijo doña Leocadia cuando murió tu tía Marianita?

—No, la verdad es que no.

—Ni yo tampoco y lo siento porque era algo muy chistoso, era como un juego de palabras.

—Sí, pero no puedo acordarme.

Betty Boop estuvo cinco semanas en Visantoña y volvió muy repuesta, de buen color y algo más gorda. Betty Boop disfrutó mucho con las comidas de Xeliña, carne asada, callos con garbanzos, empanada de bacalao con pasas, empanada de raxo, merluza frita o a la gallega, calamares en su tinta, chicharrones, menestra, ¡qué sé yo! Curriño se hizo muy amigo de Betty Boop, Curriño se encariñaba con la gente y era muy agradecido, Curriño y Betty Boop pasean juntos, cogen moras y uvas y hablan mucho los dos, hablan de todo y a veces hasta riñen y se enfadan, entonces Curriño se venga haciendo cosas que se figura que le dan rabia a Betty Boop, lo gracioso es que acierta, se pone a cuatro patas y ladra como un perro, también levanta una pata y finge que va a hacer pipí, se arrodilla para lamer el suelo con su enorme lengua, come moscas o sólo las mastica y después se las escupe a Betty Boop en el vestido, coge los cagajones de las caballerías con la mano y así sucesivamente. Un día se perdió Curriño y todos se asustaron mucho porque no aparecía por ningún lado, se echaron al monte a buscarlo, recorrieron lo menos una legua de autopista para arriba y otra para abajo, bucearon la presa del molino, dieron aviso a la guardia civil, el cura mandó tocar la campana llamando a rebato, pero a Curriño no lo encontraban por ningún lado, al cabo de tres horas, quizá más, su hermana Uxia entró en el cuarto de baño y se lo topó dándose un baño, la espuma llegaba hasta el techo, a Curriño le gustaba mucho la televisión, la noche anterior había estado viendo una película en la que Liz Taylor aparecía en una bañera llena de pompas de jabón y él no quiso ser menos, a poco más se ahoga.

Clara llamaba Fifí a Javier Perillo, da pena tener que hablar así de las muertas, pero esto no es falta de respeto sino culto a la verdad, a Lucas Muñoz le gustaba mucho decir frases en latín, *Deum et animam scire cupio, nihilne plus? Nihil omnino,* san Agustín, perdón, me equivoqué, *Noli foras ire, in te rede, in interiore hominis habitat veritas,* también san Agustín, es cierto que Clara está muerta y enterrada, es cierto que se acostaba con Javier Perillo y le llamaba Fifí, es cierto que le gustaba verle orinar, él a veces no podía porque se le empinaba, es cierto que le gustaba bañarlo con parsimonia y delicadeza, es cierto que jamás me permitiría faltarle al respeto ni a ella ni a ningún otro difunto, es cierto que no salgo fuera de mí, que vuelvo a mí, que en mi interior habita mi verdad y así lo declaro con orgullo, no me parecería digno ser crucificada en la cruz de San Andrés con la mentira anidando en mi corazón, mi marido me dijo cuando veníamos hacia el patíbulo: jamás volveremos a recorrer este sendero ni tú ni yo, pero poco me importa porque llevo ya demasiado tiempo, desde que me retiré de la política, sentado a la puerta de mi tienda y viendo pasar cadáveres de líricos menesterosos, exiliados profesionales y parásitos presupuestarios y la experiencia empieza a serme aburrida, pido a los dioses que cierren ya la espita de tanta bienaventuranza.

Aquella breve temporada en Visantoña le sentó de maravilla a Betty Boop, Xeliña la llevó a la romería del Espíritu Santo, tomaron pulpo y rosquillas y bebieron ribeiro tinto, un vino que dejaba la taza y la lengua de color morado, también bailaron el suelto y cantaron rianxeiras y no se acostaron con ningún hombre, ni se revolcaron siquiera con ningún forastero, porque tuvieron vergüenza la una de la otra, mozos que las rondaran no faltaron. Lucas Muñoz sabía más que nadie, eso ni se pone en duda, pero ante las mujeres siempre se cohíbe un poco, salta a la vista.

—¿Pero estaba Lucas Muñoz en la romería del Espíritu Santo?

—No, mujer, no hubiera pegado nada.

Guillermina es amiga de las hermanas Tomasa y Rita, hermanas gemelas, y suele confundirlas, eso le pasa a casi todo el mundo, no se tratan siempre de usted pero sí casi siempre, a lo mejor algún día rompen a tutearse, Guillermina es procurador de los tribunales, ella dice procurador pero lo más seguro es que sea procuradora, las malas lenguas dicen que le gustan las mujeres, por los andares lo parece pero eso a mí no me importa, Guillermina me regaló tres rollos de papel de retrete marca La Condesita, es el mejor sin duda, pero ahora anda muy escaso, es más fácil escribir la crónica de un derrumbamiento en un papel de retrete bueno que en uno malo, en algunos ni se puede intentar porque se corre la sangre, se corre la tinta, los pavos de las ruinas de Kalekapi tienen muy justa fama de pendencieros y sabrosos, características, excelencias o virtudes que se expresan en razón directa, a mayor fiereza mejor gusto, en las ruinas de Kalekapi se cría la única raza de pavos de pelea del mundo, los giros türkköyüs, con plumas doradas o plateadas en el cuello y las alas, los propietarios ricos suelen engastarles sendos diamantes en los espolones, no debe tomarse a jactancia pero declaro por mi honor que soy capaz de aguantar más que una esclava gordísima alimentada con crestas de pavo de pelea y que Dios me perdone si miento.

—¿Por qué te escudas una y otra vez en el precedente administrativo?

—Jamás he podido saberlo.

—¿Por qué tu marido vendió su parte en la fábrica de condones La Alsaciana?

—Ni lo sabía siquiera, pero pienso que sus razones tendría.

En el salmo 90 de la Biblia se dice que mil años son como un día, no le falta razón, parece un tango pero no le falta razón, el mundo va a durar siete mil años, la cuenta no puede ser muy puntual porque el calendario tuvo varias confusas reformas, tampoco importa demasiado esa imprecisión, el advertirlo no pasa de ser sino una mera cautela, el mundo va a durar siete milenios, siete días, es cierto, pero también lo es que debe volvérsele la espalda puesto que no tiene posible arreglo, el alma es la esencia del individuo, el sindicato lo inventó el diablo para luchar contra el individuo y la salvación de su alma, nuestra salvación ha de ser individual y para conseguirla no debe descartarse el debido uso de cualquiera de los siete pecados mortales, todo se vuelve pálido ante el único gran negocio del hombre, la salvación de su alma. La cúspide de la pirámide, nuestro líder Amancio Jambrina, Amancio Villaralbo, exige ciega obediencia.

—Con la venia del señor jefe local de la Guardia de Franco, de la Guardia de Hierro y Pedernal camarada sir Winston Leonard Spencer Rodríguez II. Me llamo Matilde Lens, Matilde Meizoso, Matilde Verdú, y juro por Dios y digo ante quienes quieran oírme que no he tenido nada que ver, absolutamente nada que ver ni con el turbio asunto del alcohol metílico ni con el también turbio asunto del aceite de colza.

El nenúfar es una bellísima e inútil flor de poesía descriptiva, duele aun más la hermosura sin objeto que el desamor.

—Yo no bebo más que gaseosa La Flor de la Gramela, de mí nadie podrá decir nunca que soy gulosa ni lujuriosa.

Esquilo se dolía de que los poderosos no pudieran tener amigos, es amargo verse obligado a vender la primogenitura por un plato de lentejas, pero no lo es menos perderse en la isla de la soledad.

—¿Aquella en la que sobre sus inaccesibles y fieros acantilados de basalto y piedra pómez baten las olas del poder que jamás es bastante?

—Sí.

El día del Juicio Final todos los resucitados hablarán sólo cuando se les ordene por Dios con muy generosa complacencia.

—Y yo he tenido una hija subnormal, se llama Esther, con una hache después de la te, pero ella no lo sabe.

—¿Por qué a mi amigo Salvador Espriu —preguntó el veterinario a su amante sarda— se le cansan los ojos de la luz?

—Y yo soy hija de soltera y hacia mi madre no siento más que respeto, gratitud, lástima, cierto desprecio, duda, esperanza y caridad. Mi abuelo era militar, brigada de artillería, y murió en el cumplimiento del deber durante la guerra civil, lo mataron en el frente de Nules, le dieron un tiro en un oído y murió en el acto.

¡Pasa de largo, jinete, y no te detengas tomándole el pulso a la yerba!, no es prudente seguir a ciegas el ejemplo de Atila.

Las mujeres solemos tener espíritu de gobernanta y lo más grave es que creemos que eso es una virtud. Isolino Cospindo Balarés era empleado del Gobierno Civil, lo dejaron cojo en la guerra, medalla de sufrimientos por la patria y mutilado total, y don Julio lo metió en el Gobierno Civil, cuerpo de subalternos, para que pudiera comer caliente el resto de sus días, lo menos que se puede hacer para mantener los principios es premiar las conductas ejemplares, la conducta se gobierna por la voluntad y a Isolino lo habían dejado cojo a pesar suyo, pero eso no importa, don Julio además de gobernador justo y patriota era hombre misericordioso. Isolino se gastó su primer sueldo en comprarle una cafetera de peltre a su señora, Remedios Formoso, la de la mercería del Campo de la Leña.

—Mira, Remedios, lo que te compré, ¿te gusta?

—Mucho, Isolino, me gusta la mar, ¿para qué te molestaste?

Al Campo de la Leña le llaman ahora plaza de España, antes también se le decía Campo de las Piñas y Campo del Chambo, las cocinas económicas se prendían con piñas y allí era donde las vendían los piñeiros, daba gusto el olor, a las cocinas económicas la gente les llamaba cocinas bilbaínas; chambo es lo que se hace al chambar y chambón es el chamarilero o sea el que chamba o cambia, esto es en gallego, en castellano chamba es chiripa y chambón es el desmañado y también el chiripero, a mí me parece que en gallego a la chamba se le llama chimba, pero tampoco lo podría jurar, a lo mejor es en el gallego de mi aldea. En el Campo del Chambo tenía mucho renombre la Pichona, una mujer corpulenta, muy tetuda, que fumaba farias y tagarninas y que se pasaba el tiempo restaurando cómodas y camas y aparadores al aire libre, la Pichona era chambona de mucha confianza y su palabra era de oro, regateaba como una gitana pero cuando cerraba el trato no se volvía atrás jamás. Emilita, la amiga que le había buscado un puesto en Obras Públicas a Matty, la verdad es que sin suerte, le compró a la Pichona dos mecedoras cubanas de caoba bastante baratas.

—Cien pesos.

—¡Qué disparate! ¿Hacen cinco?

—Noventa pesos y son suyas.

—Sigue siendo un robo.

—No diga usted eso, señorita. Ochenta pesos y cerramos.

—¿Hacen diez?

—No, mi última palabra: setenta pesos.

—¿Hacen cincuenta y me llevo las dos?

—Hacen, sí, señorita.

En el Campo de la Leña don Baltasar Pardal, que fue un sacerdote muy caritativo, fundó la Grande Obra de Atocha, ahora tiene una estatua, le ayudaron dos monjas, Teresa Correa y Amalita Barrié de la Maza, que era hermana del conde de Fenosa, por aquel barrio había mucha miseria, por las calles de Atocha Alta, Atocha Baja, San Roque, San Juan, San José, San Lorenzo, San Vicente de Paúl, San Ignacio, la caridad no es la justicia, eso lo sabe todo el mundo, pero ayuda a sobrellevar airosamente la injusticia; tampoco ignoro que el hombre no está en esta vida tan sólo para remediar o disfrazar la habitual injusticia, para engalanar la acostumbrada y acomodada injusticia, el hombre tiene otras muchas cosas que hacer, por ejemplo pescar pulpos y nécoras, bañarse en Riazor o andar en piragua.

—¿Usted piensa que es injusto todo lo que es natural?

—No, no, yo no pienso nada.

—Dicho de otra manera, ¿usted cree que la naturaleza tiende a la injusticia?

—No, no, yo no creo en nada.

Remedios Formoso presta dinero mientras vende hilos, cremalleras y botones, también medias, bragas y sostenes, por un duro te cobro un real los sábados durante un año o hasta que me devuelvas el duro, después ya quedamos en paz y así ganamos todos. Melquisedec no fue nunca mejor que Cristo, no fue jamás superior a Nuestro Señor Jesucristo digan lo que digan los que tengan o finjan tener algo que decir y quieran decirlo, quizá fuera prudente ahorcar a todos los melquisedecianos, la verdad es que yo sólo conozco a cinco.

—¿Me puede usted prestar diez duros, señora Remedios?

—Sí, filliña, ¿pero vas a tener todos los sábados diez reales?

En medio de una gran tormenta de rayos y truenos y apagones de luz la narradora encendió una vela, se sentó ante el espejo, se sacó las tetas por el escote y dijo,

—Declaro que ni mi marido ni yo hemos sabido representar con la mínima calidad, con la necesaria dignidad exigible, el difícil papel de ajusticiados en la cruz de San Andrés, en ocasiones nos daba la risa, nos dio la risa lo menos tres veces, y eso es algo que el buen aficionado no perdona, nuestro papel lo llevamos poco y mal ensayado y los parlamentos, sobre todo los largos, no los tuvimos nunca automáticamente memorizados.

—¿Terminó ya?

—No, todavía no. También declaro que el curso *Cómo dejar de fumar en cinco días* puede producir muy cuantiosos beneficios a la hermandad, debemos liberar el espíritu mediante el detallado análisis de nuestras propias contradicciones, los señoriales lacedemonios escupían en la cara a los esclavizados y estúpidos y ebrios ilotas para recordarles la ciega obediencia, desterremos de nuestra memoria la ofensa de considerar como propiedad privada los órganos sexuales, también las relaciones sexuales, y adoctrinemos a nuestras hermanas en la gimnasia intelectual, espiritual y vaginal, la propiedad de nuestros cuerpos, ese que se refleja en el espejo o cualquier otro, no nos pertenece a nosotras mismas sino al líder, Amancio Jambrina, Amancio Villaralbo, Amancio Moreira, antes os dije cómo se llamaba, lo que pasa es que no prestáis atención, cámbiate ahora mismo el nombre pensando que no hay más registro admisible que el divino, yo de ahora en adelante me llamaré Adoración Espantoso Naveira, que es nombre de comadrona titulada.

Conviene hacer determinadas mínimas y puntuales precisiones, la exactitud es un arte cornudo pero escasamente agradecido. Matty llevó muy mal que su hermana Betty Boop y su amiga Obdulita Cornide se casaran antes que ella y tan pronto como rompió con Hans Rückert se casó con Jaime Vilaseiro, no fueron novios más que un mes, no llegó a dos, la santa de Donalbai, o sea la señora Pilar Seixón, está muy orgullosa del ritmo de su crónica. Jaime Vilaseiro es inspector de policía, tampoco hubiera servido para otra cosa, cada cual sirve para dos o tres cosas pero no más, a Jaime Vilaseiro también pudiera una verlo de mártir en una misión remota en Borneo, en Java, en Sumatra, en Indonesia hay todavía mucho que convertir, y en Melanesia, las personas de carácter inestable dan muy buenos mártires y si son de temple violento, de temperamento agresivo, mejor aún porque facilitan el martirio, el alemán hubiera hecho un marido más práctico y conveniente aunque hubieran tenido que irse a vivir a Denver, Colorado, allí también existe alguna gente normal, no es cierto que haya sólo indios sioux y pastores vascos, además todo es cuestión de acostumbrarse, cuando Hans Rückert se esfumó a Matty se le viraron las tornas, con la vida no se puede jugar, es muy arriesgado jugar con la vida, en el póker puede uno rehacerse pero en la vida, no, casi siempre suele uno darse cuenta cuando ya es tarde; en el bar de Xestoso se come barato y está todo bastante limpio, casi nunca hay moscas en la sopa ni en nada, don Jucundiano Pérez López, magistrado de la sala de lo criminal, come con frecuencia en el bar de Xestoso, sobre todo desde que está viudo, sopa o caldo, parrochas guisadas, jarrete de ternera, un plátano, pan y vino, 75 pesetas, a las parrochas se les llama xoubas de Santiago para abajo, a veces lo acompaña su hijo Sisinio, que vende tarjetas postales con vistas de la bahía, del castillo de San Antón y de la Marina y pinta a la acuarela, los límites de cada cual los conoce sólo la Divina Providencia, que es generosa, sí, pero también caprichosa y voluble.

—¿Te gustan las mujeres, Sisinio?

—Mucho, sí, señora, me gustan mucho, Jaime Vilaseiro me regala páginas del *Playboy*, tengo ya lo menos cinco, usted dispense.

A la Orensana, doscientas y la cama, la encontraron una noche en el Relleno cosida a puñaladas, no estaba todavía muerta, se murió en la ambulancia camino del hospital, don Alfonso le pagó un nicho para que no fuese a la fosa común.

—¿Usted cree que Javier Perillo terminará algún día sus estudios?

—Ya me lo preguntó usted otra vez. ¡Yo qué sé!

Isidoro Méndez Gil, cuando lo hicieron presidente de Aginpol, cambió la moto Vespa primero por un 600 y después por un 850.

—¡Qué manía tiene la gente con esto de los respetos humanos y con aquello otro de vestir el cargo!

La boda de Betty Boop fue disparatada y grotesca, pero la de Matty quedó triste y aburrida, que es peor. Matty era una mujer exquisita y muy segura de sí misma, bueno, eso era lo que ella se creía aunque quizá no fuera cierto del todo, ninguna mujer suele conocerse bien por dentro, ningún hombre tampoco, y ella seguía la regla general, Matty lo cuidaba todo hasta el último detalle y procuraba aparecer siempre bellísima y resplandeciente y más aún, claro, en las ocasiones especiales, en los trances señalados, un baile en la Hípica o una fiesta de gala o la boda de alguna amiga, por ejemplo, entonces se preparaba durante una semana entera, hacía dieta vegetariana, iba a la sauna, tomaba rayos ultravioleta para tener buen color y se sometía a toda clase de tratamientos faciales, corporales y capilares. Al demonio Lucifer Taboadela le gustan el lujo y los ropajes solemnes, en Escornabois cría gusanos de seda en cajas de botas y de puros, más de dos mil, lo tiene todo limpio y ordenado, con las hojas de morera al fresco y los rimeros en perfecto orden y bien alineados.

—¿Usted cree que el demonio influye en la buena o mala marcha de las cosas?

—Sí, sin duda, el demonio está siempre dispuesto a comprar el alma de quien quiera venderla, el demonio paga puntualmente en felicidad pero no perdona ni una sola deuda.

La holganza suele ser consecuencia desequilibradora, a veces es mejor trabajar, Baudelaire preconizaba trabajar, aunque fuera por desesperación, porque es menos aburrido que divertirse, esto debería ser explicado un poco mejor pero una se resiste a hacerlo, esto se lo oí decir una mañana en el Náutico a Lucas Muñoz, después contaré el mal fin que tuvo el pobre, no se sabe nunca lo que le puede esperar a nadie a la vuelta de la esquina.

—¿No sería mejor que lo dijese ahora, que viene rodado?

—No, ahora no, eso de que venga o deje de venir rodado es lo de menos, cada crónica tiene un ritmo que debe respetarse, la señora Pilar Seixón había previsto ponerlo en el capítulo IV, el reservado para el nudo, y yo no soy quien para desobedecerle.

—Ya.

Matty, el día de su boda, estaba más fea que nunca, a Betty Boop le había pasado lo mismo, se conoce que las bodas les desbarataba las conciencias, ¡cualquiera sabe!, les desnivelaba las tres potencias del alma, la memoria para masturbarse en las más sórdidas cocinas, el entendimiento para ni intentar siquiera explicar nada a nadie y la voluntad para salir huyendo sin volver la cabeza; Matty empezó por no vestirse de novia, no quería parecer una novia, a lo mejor lo que no quería era casarse, pero no tuvo el valor de confesárselo, eso es frecuente en las mujeres muy jóvenes que se casan por recurso o a resultas de un berrinche, de una decepción o de lo que fuera, el afán de aventura, el aburrimiento de vivir con los padres, un embarazo imprevisto, lo que fuera, Jaime Vilaseiro era un mierda, perdone que lo diga tan claro, pero de eso él no tenía la culpa, Matty lo despreciaba por mediocre y simple, la verdad es que era poquita cosa, era medio lerdo, además contaba chistes muy malos, que no tenían ninguna gracia y que ya conocía todo el mundo, y para colmo era nervioso y hortera y le salían gallos al hablar, todo eso a ella la desquiciaba.

—La verdad es que lo único que le hubiera faltado al pobre Jaime Vilaseiro era tener los huevos de color azul turquesa, como los babuinos.

—Pues sí.

Matty se casó con un traje largo de fiesta rosa pálido, llevaba el pelo suelto y las puntas ligeramente onduladas, con florecitas también color de rosa salpicando cada bucle, a mí me parece que hasta quedaba cursi y Matty no lo era, no es que fuera la mujer más elegante de La Coruña, no, eso tampoco, pero no se puede decir que estuviera catalogada entre las cursis ni mucho menos.

—¿Y entonces?

—¡Yo qué sé!

El demonio Astarot Concheiro, que es medio maricón, con su trotecillo lobero es capaz de andarse muchas leguas en una sola noche. Matty era rubia, siempre había llevado el pelo rubio, suave y liso, y ese día se lo puso castaño, con mucha laca y algo rizado, hay que añadir que su gesto era más bien como una mueca crispada, ¡qué horror!, y que sus mejillas estaban tensas y rojas, era como si se le hubiera subido a la cabeza toda la sangre del cuerpo, me duele decir lo que vengo diciendo, también me da un poco de asco, pero tampoco tenía por qué callarlo ni disimularlo, yo me debo a la verdad y tengo que respetar las órdenes de quien me paga, yo creo que Matty quería escapar de sí misma, quizá quisiera escapar de sí misma, a lo mejor esto que explico no son más que figuraciones, Matty quería escapar pero sin darse cuenta de que lo hacía ni ser empujada por nadie, Matty quería escaparse ella sola y aun a sus propias espaldas, el primer paso fue teñirse el pelo, para una mujer su pelo es lo más importante que hay, renunciar a él es como ahorcarse, o tomar un tubo entero de pastillas, o hacerse el harakiri, su hermana Betty Boop hizo algo parecido, su hermana Betty Boop se cortó el pelo al poco tiempo de casarse, quienes la conocíamos de tantos años nos quedamos helados al verla, esto es muy triste, parece el Evangelio de san Mateo cuando dice que su alma está triste hasta la muerte, a las almas de Matty y de Betty Boop les sucedía lo mismo. Matty despreciaba a Jaime Vilaseiro, esto ya lo sabías, pero te lo vuelvo a repetir, y también empezó a odiarse a sí misma, es probable que por dentro empezara a darse cuenta del error que estaba cometiendo, que estaba empezando a cometer, hubiera bastado con que lo sospechase o incluso sólo con que lo intuyese, los pálpitos pueden ser tan evidentes como la geometría, cuando algo empieza a arder con llamas violentas a lo mejor es que lleva ya quemándose sin saberlo durante días y días, las cosas no nacen nunca de golpe y las cosas del sentir menos aún, a mí me parece que los presentimientos son tan reales como los animales, las plantas y las piedras.

—¿Tú sabes bien sabida la historia de España?

—No te podría decir que sí, la sé sólo a medias.

La paloma torcaz del demonio Belcebú Seteventos seguía criando peluconas de oro en el vientre, una cada mes, el primer lunes, en Seixosmil siempre pasaron cosas muy raras.

La boda de Matty fue también en la iglesia de Santiago, pero con menos gente que en la de Betty Boop, unas cincuenta personas, no más, la familia tampoco estaba en uno de sus momentos más prósperos, después levantó otra vez un poco la cabeza, y la celebramos en el hotel Riazor, Shell vino ex profeso de Madrid y se dedicó a flirtear todo el tiempo con Bob, el marido de Betty Boop, que estaba más mandón y desabrido que nunca, Shell tenía que estar siempre coqueteando con alguien y siendo halagada por alguien y sabía muy bien cómo hacerlo, también estaba en la boda María Carlota, una chica que trabajaba en la oficina de información del ayuntamiento, a lo mejor era en la de turismo o en la de relaciones públicas, no lo sé, allí había un ordenanza que se llamaba Alejo o Braulio, no recuerdo bien, era un hombre delgado, bajito y sordomudo que se había quedado así de una explosión en la guerra pero que con alaridos y gestos se entendía perfectamente con todo el mundo; Alejo tenía un solo diente, los demás se los había ido quitando con un alambre a medida que se le picaban. María Carlota era alta, morena, muy mona, alegre, sonriente y andaba siempre de punta en blanco, andaba siempre impecable, en la oficina era muy difícil encontrarla porque iba a diario a la peluquería y eso, claro es, le robaba mucho tiempo, el mudo Alejo cubría con muy cumplida eficacia todas sus ausencias, Alejo era listo como un rayo y además ponía buena voluntad, María Carlota le regalaba una cajetilla de celtas todas las semanas, a Alejo le duraba dos días y después fumaba lo que le diesen, la gente suele regalar tabaco con largueza, pitillos y hasta puros, eso es algo que se agradece mucho, es una costumbre que da pena que esté desapareciendo, es probable que Alejo también fumase colillas, pero eso no importa y tampoco hay por qué traerlo aquí, nunca hay razón para humillar a nadie, María Carlota tenía un novio de toda la vida, Esteban Rosende, delineante del arquitecto don Eduardo, el tío del jugador de chapó Cándido Julián, que había estado en la Legión, bailaba el tango y navegaba en piragua como pocos, si sigo por ahí me meto en otra historia y esto es peligroso porque después no hay modo de salir, María Carlota y Esteban Rosende acabaron riñendo, la verdad es que nunca supe la causa, y entonces ella empezó a salir con amigas y a rodar por la cuesta abajo, no tuvo suerte con los hombres, en eso influye mucho la casualidad, Cándido Julián se sabía el *Martín Fierro* casi entero, donde no hay casualidad suele estar la Providencia, yo esto no me lo acabo de creer del todo, la casualidad es como un jilguero metido en una jaula, que a lo mejor canta y a lo mejor se muere, la muerte de los pájaros es siempre caprichosa, y pudiera ser que no brotase sino en los espíritus que aciertan a buscarla, María Carlota no tuvo suerte con los hombres y también acabó bailando al son de la música de jazz de los derrumbamientos.

—¿Usted cree que Dios rige y orienta nuestra voluntad con su voluntad?

—No sé, pero me negaré siempre a decir ni que sí ni que no.

Madrid manda mendigos a La Coruña, devuélvanse a su procedencia, es una orden, el gobierno civil da una nota a los periódicos: se les facilitará alojamiento para pasar la noche y serán enviados otra vez a Madrid, harán el viaje a pie y con carta de socorro que se les facilitará por la jefatura de policía.

María Carlota tenía mala salud, era diabética y padecía del riñón y del hígado, el médico le dijo que llevase una vida normal pero que vigilase mucho la alimentación, no tomase ni una sola copa, reposase dos horas después de las comidas y sobre todo que se quitase de la cabeza la idea de tener hijos, María Carlota acabó enamorándose como una tonta de un chico que tenía una boutique de regalos, trajes de baño y algo de perfumería, antes había estado estudiando farmacia, pero no llegó a terminar, que se llamaba Serafín Lampón, le decían Tordo porque tenía la cabeza pequeña y el culo gordo, que se creía un devorador de mujeres pero no pasaba de ser un mamarracho, un pobre piernas, María Carlota buscó quedar embarazada para ver de engancharlo pero se equivocó porque Tordo salió de estampía y la dejó plantada, al principio María Carlota ocultó su estado a sus padres, a sus amigas y a todo el mundo, pero llegó un momento en que se hizo demasiado evidente y notorio y entonces fue como si se la hubiera tragado la tierra porque no volvimos a verla por ningún lado, al cabo de mucho tiempo me enteré de que se había muerto en el parto, ahora recuerdo que Licorín, o sea el demonio Satán Vilouzás, tiene la potestad de preñar a las mujeres sólo con la mirada, basta con que las mire, las mujeres preñadas por Licorín suelen parir hijos muertos o morirse en el parto, a lo mejor Licorín se mete en el cuerpo de los hombres que huyen como conejos en cuanto preñan a una mujer.

Jaime Vilaseiro llamaba Mattuska a Matty, seguramente creía que era muy ingenioso, empezó ya en la boda, el mismo día de la boda, ella no podía aguantarlo pero él ni se daba cuenta a pesar de que se lo decían más claro que el agua. A Obdulita Cornide no le gustaba su nombre pero el diminutivo le daba rabia.

—¿Y si te llamásemos Obdu?

—No, peor todavía.

Tanto Betty Boop como Matty encajaron mal que Obdulita se casara antes, la verdad es que no podían estar sin ella, no sabían dar un solo paso sin ella, y tan pronto como regresó de su viaje de novios, fueron a Venecia a pasear en góndola y a Roma a que los bendijera el Papa, las dos López Santana se presentaban todos los días en su casa, a eso de las nueve de la mañana, a desayunar. A Betty Boop y a Matty, cuando vieron otra vez a Obdulita por La Coruña, les entró una prisa enorme por casarse y Eva, su madre, que ya empezaba a notar que su matrimonio iba cuesta abajo, les dijo un día mientras tomábamos café, yo iba casi todos los días a tomar café con ellas después de comer:

—Os pido que tengáis mucho cuidado, hijas, que no os precipitéis, hay que tener mucho cuidado y verlas venir, la vida cotidiana es como la carcoma, la vida del matrimonio es como la polilla, es igual que la polilla, tienes un abrigo colgado de la percha y está muy bien, da gusto verlo, pero en cuanto dejas que le pase un verano por encima y lo descuelgas se te cae al suelo en pedazos porque está apolillado, tiene unos agujeros como puños, la vida del matrimonio es igual, de pronto te encuentras sentada en tu butaca, siempre la misma, delante de un televisor, tu marido está oyendo el diario hablado o viendo el partido del domingo y, aunque tú te pongas lo que te pongas, no se va a fijar en ti, descuida, aunque te tiñas el pelo de color zanahoria o verde lechuga él ni se entera, pierde cuidado, entonces hay que tener mucha paciencia porque todo eso te va reconcomiendo y amargando y entristeciendo, tú sabes ya que eso es irreversible, que no tiene vuelta atrás.

Matilde Verdú invitó a chocolate con churros

a Obdulita Cornide, ¡es una lástima que el dueño de la churrería de la calle de la Franja acabase tirándose por la ventana!, y componiendo muy melosa voz y una postura adecuada le dijo:

—Puedes seguir tú, si quieres, con la crónica del derrumbamiento, yo tengo unas ligeras molestias en las cervicales, no creo que sea nada pero estoy algo cansada, sigue tú.

—Como usted quiera.

—Tutéame, mujer, puedes tutearme.

—Como quieras.

Eva siguió hablándole a las hijas:

—Os digo esto con mucha pena. ¡Con la ilusión con la que me arreglo, todavía me sigo arreglando, para gustarle, para que me piropee, para que me coma a besos! ¡Qué dolor! ¡Ojalá tengáis vosotras más suerte! Yo no me quejo de vuestro padre, la verdad es que es bueno conmigo, ni me mira pero es bueno conmigo, yo me quejo de la manera de ser que tenemos todos. Probar a perdonarme, os juro que hago lo que puedo, todas hacemos lo mismo pero es igual, pongo todo de mi parte pero es inútil, yo ya no le hago gracia a vuestro padre, no hay nada peor que la costumbre. Os pido que tengáis mucho cuidado, que no os precipitéis, no hay como la vida de novios y ahora que tenéis tanta libertad, mejor aún; no tengáis prisa, yo no sé por qué os digo todo esto, quizá sea sólo por dolor. Y tú perdóname, Obdulita, ¡con lo poco que me gustaban a mí los sermones!

A Eva se le llenaron los ojos de lágrimas, después sonrió y nos dio un beso a cada una. Eva ni sospechaba siquiera que la memoria es la fuente del dolor, sí, pero también su sumidero y el ancho mar en el que se vierte.

IV

Nudo

My brain it's my second favourit organ.
WOODY ALLEN, *Sleeper*

EN EL CAFÉ GALICIA don Pedro, que era muy ecuánime y sereno, don Pedro Rubiños, mientras Ana María había ido al servicio, se conoce que a orinar, le estaba diciendo a Jesusa Cascudo:

—Yo no suelo tener suerte en los juegos, las damas, la correlativa, el julepe, el parchís, la oca, las siete y media, me consuela pensar en eso que se dice de que desgraciado en el juego, afortunado en amores, ¿lo había usted oído?

—Sí, sí, eso es mucha costumbre, lo dice todo el mundo.

El ajusticiado no siempre tiene la dignidad del cerdo, que muere blasfemando, rugiendo, aborreciendo y odiando, jamás las víboras verdes de Kinikdeliberi odiaron con más reverente maestría, el cerdo no perdona jamás al matarife al que, si pudiera, degollaría con el mismo cuchillo de hoja ancha con el que se le desangra parsimoniosamente, también con mucha crueldad e inquina, hasta la muerte, hay condenados a morir en el patíbulo, en el tajo, en la horca, en la guillotina, en el garrote, en la silla eléctrica, que sonríen al verdugo, que se esfuerzan por caerles inútilmente simpáticos.

—Repare usted en que el ejecutor de la justicia, en estrados se llama ejecutor de la justicia al verdugo, no mata por odio ni por asco ni por capricho, el verdugo procede por muy confusas motivaciones y mata por dinero, mata por unas escasas monedas de cobre e incluso sin deleitarse siquiera, si se le pagase en oro iba a haber muchas sorpresas.

Ayer tarde, a las cuatro, hallándose de servicio en los Pelamios, frente a la calle de Veramar, el consumero don Amable Abeleira Cedeira, resbaló yendo a caer sobre unas peñas que baña la mar; la muerte por fractura de la base del cráneo tuvo lugar media hora después de ingresar en la casa de socorro de Cuatro Caminos a donde fue llevado en camilla.

—¿Ingresó el consumero de Pelamios?

—Sí, el finado está detrás del biombo. Escuchen, o se llevan el cadáver abonando el gasto, no creo que monte más de cuatro pesos, o se van de vacío, ustedes verán.

Mi marido no estuvo en el exilio ni un solo día, lo dejé entrever no más para que se callase Paula Fields y me dejaran de marear los asesores de Gardner Publisher Co., yo jamás me hubiera casado con carne de derrota, prefiero la carne de presidio, la carne de garito, la carne de horca, no es de la misma lujuriosa sustancia la carne de los maridos que la de los amantes, en esto debe una mostrarse inflexible.

Aquí, en estos rollos de papel de retrete marca El Gaitero Bucólico, voy narrando por regurgitación, también algo pasmada, la crónica de un naufragio en alta mar, a veces Dios prohíbe que se salven los náufragos pero aquí nadie aprende en cabeza ajena: recapitulemos con serenidad y deseemos que nos habite el escarmiento antes que el daño.

—¿Por qué no le mandaste decir ni una sola misa a tu tía Marianita? No me parece que estuviera demasiado necesitada de sufragios porque era buena y dulce como el bienmesabe de las monjas, pero a Dios conviene recordarle el dolor de las ánimas del purgatorio.

En Madrid, en el estadium Santiago Bernabéu, Atlético de Bilbao 1, Elche 0; el Generalísimo, que asistió al partido acompañado de su distinguida esposa, entregó la Copa de España a Echeberría, capitán del equipo vasco. Ni me siento culpable ni me avergüenzo de que el hombre haya hecho almoneda de su doméstica conciencia, la verdad es que tampoco le servía para mucho, me confieso ante todos ustedes incluso con descaro porque no soy sino una mujer avinagrada, ni tengo ni tuve jamás amor, tampoco lo tendré; ni recibo ni recibí jamás amor, tampoco lo recibiré; ni doy ni di jamás amor, tampoco lo daré, no me da la gana de dar amor a nadie; ni brindo ni brindé jamás amor, tampoco lo brindaré, ¡antes muerta!; ni regalo ni vendo jamás amor, tampoco lo regalaré ni lo venderé aunque me hubiera gustado ser puta, me faltó belleza y resignación; ni incendio ni incendié jamás amor, tampoco lo incendiaré como si quemase muertos en la India, para comer vale todo; las vibraciones de mi energía vital se despeñan por la cuesta abajo de la venenosa mansedumbre, yo no soy más que una mujer casi vieja y con muy mala salud en cuyo corazón habitó siempre el olvido, es doloroso saber que el propio corazón pueda ser un vivero de vermes hediondos, no se debe odiar ni a los niños ni a los perros, la envidia tiene cara de hombre o de mujer, nunca de niño ni de perro, y el resentimiento muerde pero no nutre.

—¿Y por eso las resentidas somos flacas?

Julito Hermoso, el escribiente del juzgado, por las noches es guarda del depósito de cadáveres, libra a las siete y media de la mañana, le da grasa de caballo al garrote para que no se oxide.

—Acaba de preguntar usted una gran verdad, algo que se responde solo.

A Camilito Méndez Salgueiro, a Julito Hermoso Muiños también, Julito tenía los ojos azules, le llamaban en diminutivo porque valía poco, la verdad es que era muy poquita cosa, Camilito acabó sin un patacón pero leía muy bien francés, Jean Anouilh, *Eurydice,* cuando se es de buena raza no hace falta creer exageradamente en la felicidad.

—¿Tiene usted conciencia de que las putas también pertenecen al acervo de la humanidad, la Astorgana, doscientas y la cama, no es la Astorgana, es la Orensana, también hubiera podido ser la Zamorana, la Vallisoletana, la Sevillana, la Guipuzcoana, la Soriana, etc.? La Esperancita, la pupila de Concha, la de la casa de putas de la Malpiqueira, es como una garza, es igual que una garza, se la conoce en la forma de volar sobre el agua. Dígame, ¿tiene usted conciencia de que las putas pertenecen a la especie humana?

—No; yo propendo a negarme a todas las evidentes falsedades.

La señora Pilar Seixón, la milagrera de Donalbai, tenía un concepto muy flexible del orden, todo aquello que puede ser ordenado debe ser ordenado incluso con desorden y despreocupación, el demonio no cabe en las almas aseadas y huye del aire ventilado.

—¿Usted cree que el demonio es anaerobio?

—Evidentemente, sí, recuerde que no hay virtud sin orden ni vicio con aura barredora.

Los deberes tienen muy escasa relación con la naturaleza y Camilito Méndez Salgueiro tampoco quiere ir contra nadie, el porvenir es siempre confuso y no conviene tentar al destino como si fuera san Antonio en el desierto, las mujeres desnudas ya no son causa de motín, Camilito Méndez Salgueiro se va durmiendo por todas partes, tiene siempre sueño, también tiene miedo aunque no sepa a ciencia cierta a qué, y le duele algo, el estómago, a lo mejor no es el estómago, el corazón, a lo mejor no es el corazón, los oídos, a lo mejor no son los oídos. La sangre triste debe tirarse por la ventana procurando que no llegue al suelo, que se quede en el aire para siempre, la sangre triste no es buena para hacer morcillas porque le corta el sabor a las pasas de Corinto y le merma el color y el aroma al azafrán: el vacío no existe, repugna al sentimiento e incluso al instinto el admitir lo contrario, el Rey no se deleita con el perfume de la violeta más que yo (Shakespeare).

—¿Y el resto es silencio?

—Sí.

El padre Castrillón, S. J., me dijo que el demonio le meaba el portal a doña Leocadia para envolverla en un halo de lujuria, esto no está muy claro, pero ya no es culpa mía, yo no entiendo las motivaciones de casi nada; Javier Perillo no tomaba té sino chocolate a la española, a los hombres hay que darles chocolate para que se sientan bien, hay productos que agudizan los instintos varoniles, el tabaco holandés, la pimienta negra, el vino con quina y miel, el chocolate, y sustancias que los vuelven romos como la piedra pómez o la goma de borrar lápiz, el tabaco turco, los altramuces, las sopas de pan candeal en vino dulce, la tila.

—¿Usted no cree que se pueden capar muchachos obligándolos a tocar valses en la pipiritaña?

—Sí, sin duda, son varios los medios que se pueden utilizar, el hombre propende a convertirse en buey a poco que se le faciliten las cosas; para el macho es más cómoda la abdicación que el esclavizador mimo de las gónadas.

A doña Leocadia le gustan los hombres jóvenes y violentos, sí, violentos en la cama, pero muy respetuosos y bien educados, Javier Perillo la trataba de usted delante de la gente, pero en trance amoroso le pegaba con el cinturón y se cagaba en su padre, también le decía puta vieja, anciana golfa y callo lujurioso, Clara llamaba Fifí a Javier Perillo, en el chalet de San Pedro de Nos sucedían las cosas con naturalidad suficiente y los homenajes quedaban muy equilibrados.

—A ti te chuleamos las viejas y esto se va a acabar, ¿tú no tienes vergüenza, no te queda ni siquiera una sombra de vergüenza? Dora y Leocadia son tan putas como yo, pero más cursis, mucho más cursis, y tú eres un muerto de hambre, tú no tienes donde caerte muerto.

—O te callas, anciana de mierda, o te va a dar gusto tu padre.

Matty es nieta de Clara y muy inconstante y caprichosa, en dos generaciones cambia mucho la manera de putear de las mujeres, a lo mejor esto no es cierto, no hay razón ninguna para que las mujeres seamos tan precisas como el reloj y tan monótonas como el calendario, hace cien años los relojes y los calendarios marcaban el tiempo igual que ahora, Matty es capaz de recitar poesías de memoria, muchas poesías, su amiga Shell es muy aficionada a estas solazadoras licencias, los hombres no suelen valorar estos delicadísimos y cautos instintos, Clara también hubiera llamado Fifí al demonio Satán Vilouzás, hay mujeres que se dan mucho arte en mandar a recados a los hombres.

—¿Y a los demonios?

—Sí, los demonios son todos hombres y además huelen a azufre y echan chispas por todas partes, por los ojos, por la punta del pelo, por el rabo, por el sexo, por todas partes.

De nada me sirve el saber que me reconforta mi propio fracaso, soy una mujer anegada en este humor hediondo que es la vida.

—¿Estás triste?

—Sí.

—¿Estás inquieta?

—Sí.

—¿Temes a tu vida de todos los días?

—Sí.

—¿Te preocupa tu cuerpo?

—Sí.

—¿Y tu alma?

—Sí.

—¿Tienes ganas de llorar?

—Sí.

—¿Te duele algo?

—Sí.

—¿Qué es lo que te duele?
—No lo sé.
—¿Crees que has hecho algo malo?
—Sí, muchas cosas.
—¿Te das rabia a ti misma?
—Sí.
—¿Te atacas los nervios a ti misma?
—Sí.
—¿Crees que vale la pena vivir?
—No.

El piso de recién casada de Matty es una monada, parece una caja de bombones, quizá sea algo amaneradito, pero eso le da más confort.

—¿Está usted segura de que esto es así?
—Pues no, la verdad es que no.

Matty propende a la delicadeza y al gusto exquisito y se pasa el día hojeando revistas de decoración, el piso de recién casada de Matty es muy acogedor y coqueto, pero de poco le vale porque el bestia del marido no da la talla, no está a la altura de las circunstancias, pone los pies encima de la mesa, se limpia los zapatos con la cortina, se tumba encima de la cama sin quitar la colcha, se tira pedos, se hurga con un palillo en los dientes y cuenta siempre los mismos chistes, Jaime Vilaseiro es un mierda, perdone usted de nuevo, es muy impulsivo y maleducado, no se controla, le gusta jugar con el arma y apuntarse en la sien, esto le da mucha risa, en el campo dispara contra los mirlos de los carballos y las golondrinas de los cables del telégrafo, no suele atinarles, Jaime Vilaseiro se siente medio avergonzado de su familia y de su clase social, pero no lo dice, tampoco está muy seguro de sus condiciones, esto no se lo quiere confesar y por eso grita a cada momento, los policías varían poco y suelen venir todos cortados por el mismo patrón, muchos se suicidan, Matty empieza a mirarlo con asco, empezó ya antes de casarse, es malo esto de no decirse las cosas ni siquiera a uno mismo.

—Escucha, Sarah Bertolomeu la Roja, ¿por qué acatas con tan vergonzoso comedimiento los necios e inertes mandatos del *Boletín Oficial del Estado*?

—Lo ignoro, Simeón Stephanipoulus el Bravo, no me lo explico, pero lo ignoro.

—Dime ahora, ¿por qué a tu amante tuerto le huelen las ingles a canela en rama?

—No, eso es a mi marido, a mi amante tuerto le huelen a pachulí, es muy deleitoso y reconfortador.

En el café Triana se sirven tapas calientes, fabada, callos, gambas con gabardina hechas en el acto, sandwichs de jamón y queso, mollejas, riñones y también tapas frías, claro, Santiso, Julián Santiso Faraldo, solía recalar por el café Triana a tomarse el aperitivo, media combinación o sea ginebra con vermú rojo, hielo, una guinda y una hojita de menta (la conciencia no se calla jamás, yo no debería consumir alcohol, bien lo sé, pero al buen propósito lo frena siempre la quebradiza voluntad).

—Lo primero que hay que hacer es cambiarse el nombre, antes hay que pensarlo mucho porque no se deben dar pasos en falso, es muy peligroso y desorientador dar pasos en falso, no se puede uno mantener a flote arrastrando vergonzosa y tímidamente un nombre impuesto, lo primero que hay que hacer es borrar toda conexión con el tiempo ido, con nuestro propio tiempo ido, que suele venir condicionado por los demás, uno nace en una precisa época, en un determinado país y en una cierta o falsa familia pero al margen de su voluntad e incluso contra su voluntad, ¿los negros del centro de África no hubieran preferido ser ingleses y victorianos?, probablemente sí, aunque a lo mejor ni se lo plantean siquiera, los negros no están atentos a nada, todos somos hermanos de todos los seres vivos, incluidas las víboras, las medusas y las margaritas, pero no de nuestros propios hermanos de la sangre, las guerras se hacen siempre por dinero, al hombre no le mueven generosos ideales nobles sino bastardos intereses políticos, mientras los que se mueran de hambre sean los negros todo va bien, negros hay muchos y todos son carne de derrota, lo malo será cuando el hambre llegue a morder a los blancos fabricantes de armas, todavía falta mucho.

Cuando el viento sopla del sur la mar se arbola porque el Gulf Stream viene del norte y las dos fuerzas chocan, la boya de luz roja de Punta Bestia se fue a pique, el capitán de corbeta don Tadeo y sus tres hijos son más bien de corta estatura, la única medio alta de la familia es doña Lourdes, la santanderina, la tarantela es una canción muy bonita, muy sentimental y melodiosa, cuando don Tadeo vuelve a casa de su trabajo en la Comandancia de Marina los suyos le cantan a coro una tarantela medio misteriosa.

Como la morte, como l'amore
che muove il sole e la fantasía
ela ela verigüía
la bufera del cucú.

Don Severino Fontenla es muy putañero y alborotador, la verdad es que tampoco lo disimula, a don Severino le gustan los toros, la manzanilla La Guita y el tabaco de cuarterón, es difícil que los curas castrenses sean castos como lirios o como azucenas, el ambiente cuartelero no los ayuda demasiado, eso es cosa de monjas, eso es más propio de frailes mínimos y desnutridos, aquí nadie dice ni nadie piensa siquiera que Guillermina Fojo, la nuera de Loliña Araújo, sea lesbiana, no, aquí se está hablando ahora de otra cosa, aunque la verdad es que a Guillermina se le está poniendo pinta de virago tentenelaire.

—¿Y eso qué es?

—Aquí no se explica nada y el que quiera saber más que vaya a Salamanca o que se matricule en la UNED, ¡pues estaría bueno!

Adelita la poetisa es tímida y modosa, es muy circunspecta y propende a mirar siempre para el suelo con recato, parece una mosca muerta, pero se la menea al profesor de violín con verdadera aplicación, sin darle importancia pero con mucho énfasis, escrúpulo y meticulosidad.

—¿Tanto?

—Como usted lo oye, ni siquiera sonríe. Y le aseguro que no exagero ni un ápice.

La mamá de Adelita trabaja en la Delegación del Gobierno y tiene una imaginación calenturienta, don Severino la invita a vermú y le tira de la lengua, lo que tampoco es difícil porque ella está siempre dispuesta a hablar por los codos, a hablar como una tarabilla.

—¿Me cuenta usted un cuento de la Delegación?

—Con mucho gusto. ¿Verde?

—Sí, preferible.

—Bueno. Y que Dios y Nuestro Señor el Apóstol Santiago me eximan del respeto que debo a su condición de sacerdote. Verá. Don Mauricio, el del registro de entrada, hizo un agujero con un berbiquí en la pared del guáter de señoras, o sea el servicio, para ver orinar a las empleadas, doña Mencía, la secretaria de la asesoría jurídica, va sin bragas y orina en equilibrio, se conoce que para no contaminarse, entonces don Mauricio le gasta bromas y le dice que se va a acatarrar, pero ella no entiende, la verdad es que tampoco salió muy lista, es más bien tonta y caprichosa.

Don Severino se ríe mucho con los cuentos de la mamá de Adelita, pero después no se los quiere contar a nadie, se conoce que por discreción. Doña Mencía se ve algunas veces con don Severino en el bar Hong-Kong, en la calle de la Galera, ellos creen que no lo sabe nadie, doña Mencía le cuenta las cochinadas de la mamá de Adelita, aquí nadie puede hablar de nadie porque todos tienen muchas cosas que ocultar, a don Severino le gusta oír misterios e intimidades, eso es frecuente y no debe sorprender.

—¿Vienes sin bragas?

—¿Y a ti qué te importa?

—Nada, ya ves, curiosidad.

—Pues, sí, vengo sin bragas, tú sabes que voy siempre sin bragas, compruébalo si quieres.

Don Severino, por debajo de la mesa, comprobó lo que ya sabía, la mujer abrió un poco las piernas y se tapó con *El Ideal Gallego,* no cuesta ningún trabajo ser discreta.

—Mi primo Eleuterio colecciona opiniones sobre la discreción, tiene lo menos siete.

—¿Puede decirme alguna?
—Sí, poder sí puedo, lo que no me parece es que pegue.
—Quizá tenga usted razón.

Raimundo Fanego, el guardia civil pelirrojo del puesto de La Estrada, le preguntó a Hipólito, el practicante:

—Si un hombre sólo tiene una muerte y los cobardes se mueren muchas veces antes de morirse, ¿le deberemos siempre a Dios una muerte, como dice el inglés?
—¿Qué inglés?
—Eso es lo de menos, ingleses hay muchos, usted responda a mi pregunta, ¿le deberemos siempre a Dios una muerte?
—Sí, yo creo que sí, no podría asegurárselo, pero lo tengo como lo más probable.

El mejor papel de retrete para escribir crónicas de sucesos es el de La Condesita, de esto no me cabe la menor duda, da gusto ver cómo la historia se desgrana con rigor y parsimonia, como si tal. Matty se aburrió en su viaje de novios, fueron a París, pero a Jaime Vilaseiro le daban rabia los franceses y se pasó todo el tiempo de mal humor, no sabía pedir el desayuno en el hotel, reñía con los taxistas y lo encontraba todo caro. Matty quedó pronto en estado de buena esperanza y tuvo una niña, María de las Nieves, preciosa, rubita y con los ojos azules; el embarazo no fue bueno y el parto resultó aún peor, muy laborioso y lento, al final tuvieron que aplicarle fórceps. A la niña empezaron a darle convulsiones y ataques epilépticos a los seis meses y esto le ocasionó un retraso físico y mental considerable, tenía la boca siempre abierta y se le fue poniendo poco a poco cara de tonta, Matty llevó la circunstancia casi con paciencia, es difícil adivinar las reacciones de la gente. Jaime no consigue que lo destinen a La Coruña y entonces se van primero a Santiago, donde alquilan un departamento minúsculo en la calle de Castrón Douro, según se baja, a la izquierda, y después a Vigo; don Jacobo, el padre de Matty, les regala un piso en la calle de Purificación Saavedra, más allá del colegio de los jesuitas de Bellas Vistas y de los depósitos de Campsa, pero no lo pueden decorar tan bonito como el de La Coruña porque su economía ya no es del todo próspera; esto de los depósitos de Campsa suele ser una referencia muy precisa, en La Coruña, detrás de los depósitos de Campsa, vivía la señora Aurelia, la echadora de cartas que antes se llamaba la señora Evangelina.

Matilde Verdú no era amiga de Salustiano Balado Abeijón, no se podía decir que los uniera una estrecha amistad, era simplemente conocida.

—Todos los aliados son buenos para luchar contra el comunismo y las ideas disolventes, tú eres la Virgen María Santísima y de tu vientre nacerá como un fruto maduro el nuevo mesías que alumbrará al universo, tú estás señalada por el dedo de Dios Todopoderoso, por la mirada del Sumo Hacedor, caminemos hacia la paz blanca y espiritual y apartemos a la juventud del alcohol y del tabaco, de las drogas y el ocio, recita el mantra mil setecientas veintiocho veces al día, que la mañana amanezca cuando tú vayas aún por la mitad de la letanía, desnúdate y tiéndete sobre el suelo para yo que pueda fecundarte de orden del

Apóstol con la semilla del bien que se cría en mi cuerpo por su generoso mandato, no pienses por tu peligrosa cuenta arriesgada, ni razones con tu débil mente huérfana, ni confíes en el azar, desnúdate y tiéndete sobre el suelo para que nuestras entrañas puedan comulgar y fundirse, obedece siempre a tus mayores, a quienes no quieren para ti más que la paz blanca y espiritual, la paz blanca y espiritual, la paz blanca y espiritual, adiéstrate en la respiración íntegra pranavama para que la brisa de los dioses oree tu espíritu, obedece y vacía tu mente, que el hatha yoga te ilumine, amén, come de la mano de tus maestros y danza al ritmo de la zambomba mágica tañida por el Apóstol de Oregón, canta y medita, canta y medita, canta y medita, canta y medita, canta y medita, desnúdate y tiéndete en el suelo para que yo pueda penetrarte con la semilla del bien que ha de crecer lozana en tu vientre señalado, tú eres la mujer elegida y debes olvidar todo miedo, todo temor malsano, entrégate como una fruta dulcísima para que la voluntad de O'Hara pueda germinar en tu corazón, date este baño límpido y purificador de inmaculada agua de rosas de Jericó que mandé preparar para tu adiestramiento y acaríciate la piel, cierra suavemente los ojos y acaríciate la piel, acaríciate la piel, acaríciate la piel, suplícame que te haga mía por mandato del Apóstol de Oregón, pero no abras los ojos para que no se rompa la cadena platoniana y piramidal del magnetismo de los elegidos.

Salustiano Balado Abeijón es también maestro ínfimo de la Escuela de Albores Gamma-Delta-Pi (Comunidad del Amanecer de Jesucristo), Matty se desnuda y se tiende en el suelo para que Salustiano la fecunde con la semilla del bien, Matty queda de nuevo embarazada y al niño que viene de camino quiere ponerle O'Hara, Jaime Vilaseiro se niega y al final consigue que le llamen con un nombre corriente, Matty le puso Rafael en honor de Rafa Abeleira, aquel medio novio al que le picó una avispa en los testículos, bueno, en el escroto, en las leiras de Nostián, más allá de la punta Maxillosa, que da a la mar abierta. No hace falta que pase mucho tiempo para que el mundo se hunda; se trata de contar un cuento al amor de la lumbre, lo que pasa es que no sé porque para contar cuentos al amor de la lumbre mientras la tormenta descarga sobre la costa hay que ser medio memo: érase una vez, hace ya muchos años, un enano que estaba enamorado de una giganta... A Matty las cosas empiezan a rodarle de mal en peor, viste con faldas muy largas y de mucho vuelo, se hace vegetariana y ecologista y está obsesionada con la macrobiótica, y su relación con el marido llega a ser insostenible, esto se veía venir, la verdad es que eran bazas cantadas. Jaime Vilaseiro la desloma a palizas, pero esto tampoco resuelve nada, cuando un hombre le pega a una mujer no es para arreglar las cosas sino para dar rienda suelta al gusto.

—¿A los instintos?

—También, pero más al gusto.

El matrimonio decide separarse y ella no consigue que el juez le dé la custodia de los niños, los ve sólo una hora al día, Matty vive con otras chicas de parecidas aficiones y frustraciones y se dedica a hacer figuritas de barro como su hermano Fran, el que se coló en el chalet de San Pedro de Nos cuando murió su abuela; después las vende los domingos por la mañana, las pone en la acera sobre una mantelito y ella se sienta al lado mirando para el suelo, la verdad es que no vende casi ninguna. A veces me llama por teléfono para pedirme dinero, al principio le daba algo, nunca más de mil pesetas, después, no; me parece que con mi hermana hace lo mismo, la pobre llama a todas las puertas, pero cada vez con menos resultado, mi hermana no me lo dijo, pero yo estoy segura. La última vez que la vi estaba hecha una ruina, la encontré hundida, sin dientes, encorvada, delgada, triste, daba verdadera pena ver aquella Matty que tan poco tiempo atrás era una belleza y ahora es la viva imagen de la derrota, no tiene todavía cuarenta años, debe andar por los treinta y ocho quizá no cumplidos.

El violín es un instrumento que nunca se llega a dominar del todo, en Salzburgo te pueden enseñar la técnica pero nada más, eso es poco, la técnica es siempre poco, el alma del violín hay que descubrirla o que adivinarla, bien mirado es lo mismo, también se puede inventar el alma de cada violín o de cada concierto de violín según la estación del año, la fase de la luna o la abyecta e inoportuna menstruación de las princesas nórdicas, el sentimiento jamás se deja dominar por los estatutos, Matilde Verdú supone que todos nacemos platónicos, lo cual es una aberración estrepitosa. Miluca, la hermana de Xeliña, está muy bien casada en Irixoa, estas cosas conviene que se sepan, a Carmiña, la casada en Mabegondo, tampoco le van mal las cosas, la verdad es que ninguna de las tres puede quejarse porque Xeliña, cuando se harta del marido, coge la furgoneta y se va de romería, en el colegio de subnormales de Sigüeiro, donde las truchas, tratan muy bien a Curriño, el chiquillo va muy contento y lleva una tortilla de patatas grandecita de merienda envuelta en papel de plata.

—¿El niño está acatarrado?

—No, es que todavía no le lavé la cara.

La Pichona se pasa la vida barnizando sillas y mesas y tocadores en el Campo de la Leña, cuando el tiempo lo permite trabaja al aire libre y a la vista de los clientes, los mirones y los municipales, la Pichona es una chambona de mucha responsabilidad y su palabra va a misa, cuando la Pichona cierra el trato su palabra es sagrada y nunca se vuelve atrás.

—¿Y el niño adelanta?

—Mujer, no mucho porque el pobriño es inocente, pero ya sabe las letras.

La gente se alarmó porque corrió la especie de que a la paloma torcaz del demonio Belcebú Seteventos la había matado un guardia civil borracho, después se supo que no y todo el mundo se fue tranquilizando.

—¿Y el niño va a hacer la primera comunión?

—De momento no, después ya veremos.

El que nace ciego, como el que nace príncipe, tarda muchos años en enterarse de que lo es, el condenado a muerte tampoco se lo cree del todo hasta que le ponen el corbatín de hierro, siempre piensa que pueden firmarle el indulto en el último instante.

—¿Llegó el telegrama?

—No, ya sólo te queda cerrar los ojos y tragar saliva, yo procuraré no regodearme.

—Gracias.

Andrés, pescador de Bethsaida sobre el lago de Genesareth, se interesaba tanto por las cuestiones religiosas como por las carpas y los boquerones, esto lo aprendí de fray Justo Pérez de Urbel, al final lo clavaron en la cruz y su nombre lo apuntaron en el santoral; pues bien, a mi marido y a mí nos pasó lo mismo, quiero decir que también nos crucificaron, nos van a crucificar, aunque por razones diferentes, de nada vale el mote heráldico de los Velasco de Zárate, a nadie ofendo, de todos me defiendo, cuando las cosas vienen mal dadas; mi marido y yo hemos sufrido mucho en nuestras vidas y no se nos ha hecho justicia, nosotros creemos que no se nos ha hecho la más mínima justicia, la idea va tomando cuerpo en el ánimo de todos y esto me reconforta, nos reconforta a los dos, me gustaría tener el alma serena y bañada en el néctar de la justicia, a Epicuro le pasaba lo mismo y a la postre ganó la batalla de la fama. Entró el buque liberiano *Rosa,* procedente de Zuguinchor, Senegal, con mil doscientas cincuenta y cuatro toneladas de cacahuete. Ofelita Barcia era amiga de Matty, tenía poco que ver con ella y con su manera de ser y de vivir, pero era amiga de Matty, los amigos no siempre son los cómplices, aunque debieran serlo, cuando don Jacobo se separó de Eva y se trasladó a Vigo, antes se pasó un año entero en La Coruña, un año muy duro y desorientador, conoció a Ofelita Barcia y se la llevó a vivir con él, puede que para probar la convivencia, los caracteres y los acoplamientos se fueron quince o veinte días a las Bahamas. Ofelita era menuda y muy graciosa, con la nariz respingona, las tetas no grandes pero sí descaradas y el culo saltarín y apetitoso, nadie debe creer que soy lesbiana, estoy harta de las apreciaciones aproximadas, Ofelita tenía el pelo castaño oscuro y se pintaba poco, como era de aspecto aniñado quedaba muy bien; Ofelita había heredado de su padre, muerto en accidente de automóvil en el norte de Portugal, se mató en Montedor yendo por la carretera de la costa camino de Viana do Castelo, Ofelita había heredado de su padre una colección de sellos de España muy buena y completa que iba malvendiendo poco a poco, cuando quería comprarse un vestido vendía un par de sellos y en paz, mientras dura, vida y dulzura, y después Dios dirá, Ofelita había vivido más de un año con un conservero de Bouzas al que llamaban Roquiño de Xiabre, que se paseaba a caballo por la avenida de Beiramar, Roquiño era muy tosco y ordinario, muy basto, y a Ofelita tampoco le gustaba demasiado, los domingos se ponía una corbata verde brillante muy aparatosa y llevaba reloj de bolsillo de oro con leontina y una onza colgando, Roquiño de Xiabre se mató en un accidente de moto también en Portugal, poco después de salir de Vilaseca por el camino de Necessidades, chocó de frente contra un camión y murió en el acto, Ofelita corrió con todos los gastos del traslado del cadáver y lo enterró en el cementerio de Pereiro, más allá del campo de fútbol de Balaídos y de la factoría de Citroën Hispania, yo no sé para qué cuento todo esto, a Ofelita le gustaba mucho el pipermín frappé, otros dicen pipermín pilé, y esto a don Jacobo le daba mucha risa.

—Tú eres igual que una puta de pueblo, Ofelita, ¿quieres más pipermín?

El documento *Institutio Generalis Missalis* dice que con el fin de que los fieles imploren la caridad antes de participar en un solo pan se va a restablecer en la santa misa el rito de la paz cuya forma de significarlo será a través de un saludo que se podrá expresar con un beso, un abrazo o simplemente dándose la mano; según fuentes de la Conferencia Episcopal se puede dar por seguro que en España el beso será descartado y que tampoco parece prudente el abrazo, máxime entre personas de distinto sexo siempre acechadas por la lujuria, por lo que se considera más idóneo que se abogue por el apretón de manos.

—Te digo, Ofelita, que si quieres más pipermín.

—No, ya no.

En Yukaribatak, a la sombra de los garrafales venenosos, sólo beben bebidas dulces los misioneros y los enterradores.

—Usted admite que las mujeres puedan beber aguardiente?

—No, sólo licores, las mujeres no deben tomar más que aguardiente alemán en los casos de estreñimiento rebelde, lo contrario sería ir contra la norma.

—Sí, quizá tenga usted razón bastante.

Deben preverse los más mínimos detalles por innecesarios que parezcan, para que la historia pueda fluir con lozanía y comedimiento, Ofelita se porta como todo el mundo, unas veces bien y otras mal, y las simplicísimas torturas del sentimiento no influyen para nada en la marcha de los astros.

Escuchad todos y vosotras, las huérfanas de Hacienda, escuchad con mayor atención que nadie, aplicad vuestros cinco sentidos porque tendréis que levantar acta de cuanto veáis: tan pronto como empiece la amarga misa negra de la confusión los sacerdotes deberán segarse las partes, en homenaje a Agrícola, ante el altar mayor y con una gumía de plata guarnecida de esmeraldas y rubíes.

—¿Como la bandera de Portugal?

—Usted lo ha dicho, como la bandera de Portugal.

Las putas de la calle del Papagayo, las de la calle de Tabares por ahí se les van, tienen mucho temple y resistencia, Marica la Caralluda de Escairón, digo, de Valadouro, Pili la Maña, Trinidad Madriles, Carmela Conacha Brava y Ermitas Pandeiro, cualquiera de ellas, son capaces de capar el borlón de la gorra a un marinero francés aunque no esté borracho; Moncho, Teófilo, Floro y el cura castrense don Severino Fontenla, al que se le iba un poco un ojo, ayudaron en el famoso lance del piano que salió por el balcón, menos mal que no entraba ni salía nadie. Cuando el viento sopla con fuerza, también con ira y con soberbia, contra el rompeolas del Orzán, aquello parece el fin del mundo.

—¿Cuánto tiempo lleva el hombre buscándole aplicación a la fuerza de las galernas, al ir y venir de las mareas?

—No sé, siglos quizá, a lo mejor desde el incendio de la biblioteca de Alejandría.

Puede haber un misterioso deleite en portarse mal, a veces no es necesario buscar las últimas razones de la conducta y, de otra parte, la sola inteligencia es poca cosa, la inteligencia desnuda es como una nubecilla pasajera, no mucho más. Todas las señoras que van a tomar el té y a recitar poesías de Campoamor a casa de doña Leocadia se habían imaginado alguna vez revolcándose con Javier Perillo en el sofá, en la cama e incluso en el suelo, ¡Jesús, qué ocurrencias!, don Alfonso padece de aerofagia y el aire tampoco se le va a quedar dentro, por algún lado tendrá que salir, esto es algo que las señoras de cierta edad no entienden.

—¡Parece mentira! ¡Todo un comandante no conteniendo los gases!

Doña Leocadia le da chocolate a la española y galletas de coco a Javier Perillo, conviene tenerlo contento y bien alimentado, los mozos próvidamente alimentados son muy propensos a la gratitud y suelen expresarla regalando deleite a sus benefactoras.

—¡Qué buena estás, Leocadia, qué cachondo me pones!

—Calla, tonto, que podía ser tu madre.

—Bueno, ¿y qué? ¡Cómo me gustaría tomarme el chocolate en tus tetas, Leocadia! ¡Me pones a cien!

—¡Calla, tonto, no seas cochino! ¡No quiero que me quemes! ¡Mis tetas no son una jícara! ¡Descarado, que eres un descarado!

Doña Leocadia no pronuncia la palabra tetas más que en la cama y desnuda, fuera de la cama y vestida suele decir pechos, senos o mamas, según los circunstantes.

De Becky no habla nadie, no llama la atención porque no hace disparates y de ella no habla nadie ni para bien ni para mal, Becky se limita a vivir con su novio, Roque Espiñeira, y a fumar porros los fines de semana, Lucas Muñoz, el licenciado en filología clásica, le dijo a don Alfonso:

—Usted quizá no sea capaz de entenderlo, pero tenga la completa seguridad de que las palabras no significan más que lo que queremos que signifiquen, tampoco se trata de llevar el crimen hasta su última justificación, ¿está claro?

—¡Hombre, qué quiere usted que le diga!

Los mandamientos de la ley de Dios son el mejor adorno de las conciencias de los elegidos. Calímaco quería ser rico y virtuoso al tiempo: la riqueza sin virtud, ¿para qué y por qué sirve?, la virtud sin riqueza, ¿adónde y cómo nos conduce?, no temáis a los placeres porque tampoco la imbecilidad os ha de redimir de nada. Para mañana, sábado, 28 de junio, tiene anunciada su entrada el buque belga *Mokoto,* que cargará una partida de setecientas toneladas de fardos de bacalao con destino a Mattadi, el Congo.

—¿Averiguó por fin si don Jacobo le compró o no le compró un descapotable a su hija Matty?

—No lo sé fijo, pero me parece que no, Matty no llegó a sacar el carnet de conducir.

Matilde Verdú le dijo al guardia municipal que estaba de servicio en la esquina de Juana de Vega con la calle de San Andrés,

—Oiga, Méndez, ¿pasó ya el padre Castrillón?

—No, señorita, todavía no.

—¿Y Varela, el de las películas?

—Tampoco, señorita, por aquí no pasó aún ninguno de los dos.

El padre Castrillón iba todas las tardes al Círculo Social y Deportivo de Sordos, en la calle de Santo Tomás, en el camino de la Torre de Hércules, donde hacía mucha labor, y Varela el de las películas, Juan Antonio Varela, el propietario de la Distribuidora Cinematográfica San Amaro, solía llegarse a eso de la puesta de sol a la Peña Taurina, a tomarse una copa de manzanilla y a hablar de toros, los gallegos aficionados a los toros procuran copiar las costumbres andaluzas. Varela el de las películas era novio de verano de la madrileña María Luisa y estuvo saliendo una breve temporada con Matty, ella lo licenció en seguida porque lo encontraba algo vulgar. Matilde Verdú no me comentó para qué quería ver al padre Castrillón y a Varela y yo, claro es, me quedé sin saberlo.

—¿Es usted curiosa?

—Pues sí, quizá sí, muy curiosa, pero créame que es necesario.

Por la calle de Archer Milton Huntington, donde el hospicio, solía pasearse un exhibicionista ya algo mayor, rubio y bien vestido, que tampoco era peligroso, se limitaba a enseñar sus partes a las señoras y después se iba hasta el día siguiente con su pasito cortado y sin volver la cabeza, la gente ya estaba hecha a su costumbre y tampoco le decía nada, ¿para qué?, si fuera moda esto de llevar las partes colgando, nadie se metería con los exhibicionistas, todo el mundo lo encontraría lo más natural.

—¿A usted no le da vergüenza ser curiosa?

—A mí, no, ¿por qué iba a dármela?

—Mujer, ¡no sé!, eso es como querer aprender a jugar al mus a los setenta y ocho años, quizá sea ya un poco tarde, ¿no le parece que es ya un poco tarde para aprender a jugar al mus y para todo?

—Pues sí, lo más probable es que sí, no se lo niego.

Ahora, en estos revueltos días de crisis que vivimos, una debe sentirse mujer de su tiempo y recurrir a la dianética, la moderna ciencia de la salud mental, quizá debieran escribirse estas palabras con la inicial mayúscula, la disciplina que cura todas las enfermedades, desde el dolor de muelas hasta la resurrección, la tos, la blenorragia, el sida, pasando por la leucemia, la sordera, la mudez, la ceguera, la parálisis, el cáncer y la pelagra, basta con un equilibrado tratamiento de saunas y con la ingestión del complejo vitamínico bendecido por Ronald Hubbard y sus seguidores autorizados, sus maestros espirituales, desconfiad de los imitadores, los falsarios y los charlatanes, la Iglesia de la Cienciología no busca más que la verdad porque, como bien dijo el eximio pensador George Santayana, es una gran ventaja para un sistema filosófico el que sea sustancial e intrínsecamente cierto en su esencia y en sus consecuencias, hay que liberar al hombre traumatizado por la duda, todos somos vigilados por la Oficina del Guardián y debemos dejarnos abrazar por la gnosis, esto es, la ciencia que vuelve y que fructifica en el matrimonio filosófico, en la unión del azufre y el mercurio, de la espada y la pluma, del macho y la hembra durante el color negro y la metátesis que no desvirtúa el sentimiento. Antes de que fuesen echados los cimientos de la Tierra, tú ya eras, y cuando llegue el momento en el que la llama subterránea rompa su prisión y devore la forma, tú serás todavía como eras antes y tu espíritu no sufrirá cambio alguno cuando el tiempo ya se haya fundido con la nada, todos debemos obedecer el mandato de nuestro líder Ronald Hubbard y sus cinco beneméritos apóstoles tantras liberados, a saber: Amancio Jambrina Cordeiro, Amancio Villaralbo Candame, Amancio Moreira Valeirón, Amancio Sande Freire y Amancio Restande Domingo, el Carabinero. El exhibicionista de la calle de Archer Milton Huntington apareció muerto una mañana, estaba sentado en el suelo en la avenida de La Bañou, sin signo de violencia alguna, con los ojos abiertos y completamente frío, debía llevar ya varias horas muerto, el sexo lo tenía fuera del pantalón y lleno de hormigas.

—¿Me da una bolsa de patatas fritas que sean frescas?

—Sí, señorita, recién elaboradas por el método Josephine.

Pichi López no conseguía ser experto en violaciones, lo intentaba una vez tras otra, pero como si no porque se corría antes, para consumar las violaciones hay que sujetar las cabras.

—¿Qué hora es?

—No sé, se me paró el reloj el miércoles pasado, se conoce que se le agotaron las pilas.

Lucas Muñoz tuvo un final indigno e impropio, las dos cosas al tiempo, se suicidó como una criada de las de antes, da verdadera lástima ver cómo se pueden hundir los principios, Lucas Muñoz se suicidó con lejía y salfumán entre horribles dolores, con el teléfono descolgado y la puerta con el cerrojo puesto, en la pared escribió estas palabras con un rotulador: Me permito aconsejar al señor juez que lea *Le Mythe de Sisyphe,* está sobre la mesa de noche; llevo ya varios años consolándome con la idea del suicidio. Sé que voy a sufrir mucho con la forma de muerte elegida, pero esto me suma aún más consuelo.

—¿Estás incómodo? ¿Hubieras preferido la enfermedad a la prisión, la muerte a la ruina, el descrédito al hambre? ¿Te sientes como gallina en corral ajeno?

—Sí, o como jugador de billar a quien huele el aliento y no puede concentrarse.

Los mandatos de la señora Pilar Seixón, la virtuosa de Donalbai, son seguidos puntualmente porque nadie quiere pleitos con el demonio Acebuche Tasende, que ahora está de guarda jurado en Arzúa, también atiende la báscula municipal. De nada me sirve el saber que me consuela la desgracia, soy una mujer que no acierta a nadar con la cabeza fuera del agua y esta falta de habilidad se paga a muy alto precio, se paga con la única vida que tenemos.

—¿Estás aburrida de ser como eres y como te representan en los sellos de correos?

—Sí.

—¿Has perdido el interés por todo lo que te rodea, por todo lo que te envuelve, por todo lo que te acuna?

—Sí, por casi todo.

—¿No puedes concentrar la atención en lo que estás haciendo y padeciendo?

—No, me cuesta mucho trabajo.

—¿Sientes torpe o confuso el pensamiento?

—Sí.

—¿Le das demasiadas vueltas a las cosas?

—Sí.

—¿Te olvidas del trabajo?
—Sí.
—¿Echas de menos el trabajo?
—No.
—¿Te olvidas de las diversiones?
—Sí.
—¿Las echas de menos?
—No.
—¿Estás en la cama demasiadas horas?
—Sí, hay días que ni me levanto siquiera.
—¿Te cansas?
—Sí, mucho.
—¿Deseas algo?
—No, nada, hace ya mucho tiempo que no deseo nada.
—¿Has perdido interés por el sexo?
—Sí.
—¿Quieres morirte?
—No, creo que no.

Los últimos legionarios de las fuerzas estacionadas en Ifni han abandonado la plaza a bordo de tetramotores del ejército del Aire tras participar en la ceremonia de arriar la bandera de España e izar la del reino de Marruecos; es doloroso salir con el rabo entre piernas, las liquidaciones de los imperios militares son siempre amargas y también un poco ridículas.

—¿Alguna de ustedes sabe la relación de los múltiplos de 171 con la población de aves sindáctilas en el hemisferio sur?
—Sí, señorita, todas menos Araceli.
—Bien. Veamos ahora, ¿alguna de ustedes conoce el fundamento sofócleo de la ley de Frienberg o Freyberg o Freyenberg?

—No, señorita, eso viene en letra pequeña y creíamos que no se daba.

Los maestros ínfimos de la Escuela de Albores Gamma-Delta-Pi (Comunidad del Amanecer de Jesucristo) están por debajo de los apóstoles tantras liberados, la organización piramidal es muy rígida y no admite la menor concesión ni a la caridad ni al sentimiento, los estadios del proceso, a saber, claro, preclaro, dianético, cienciólogo y filosófico, deben obedecer las reglas que rigen la estructura de la pirámide, ser inmutables y estar cerrados a cal y canto a toda influencia externa.

—¿Estás decidido a romper con las cinco cadenas que te atan a las servidumbres del mundo? ¿Sí? Pues repite conmigo mil setecientas veintiocho veces, apúntalo en un papel hasta que lo aprendas: rompo con mi cuerpo mortal y material, rompo con mi familia legal y artificial, rompo con mi tierra natal y natural, renuncio a los nefandos bienes propios causa de todo mal y blasfemo de mi religión anterior en cuyos errores habita la semilla de la incertidumbre que es fuente de la desgracia mortal, haz un esfuerzo porque esta última ruptura es la que cuesta más trabajo, no se puede acceder a la paz si no se colabora con la Providencia, recuerda que la Providencia reside en el corazón de los elegidos.

El exhibicionista de la calle de Archer Milton Huntington era un pobre hombre, en el depósito de cadáveres lo trataron muy desconsideradamente, sin ningún miramiento ni respeto, a los muertos se les debe respeto aunque sean pobres o viciosos o indocumentados, antes nadie se atrevía a faltar al respeto a los muertos; la sociedad se resquebraja cuando los camilleros del depósito se erigen en implacables jueces, los camilleros guardan el bocadillo de la merienda en los nichos refrigerados y matan el tiempo leyendo novelas del Far-West.

A don Pedro Rubiños, procurador de los tribunales, no le gustaba que le apeasen el tratamiento.

—No y mil veces no, el orden es el orden, ya lo decía el general Mola, y los tratamientos existen por algo: no admitirlo sería tanto como dar pábulo a la subversión, ¿de acuerdo?

—Sí, don Pedro, de acuerdo, tiene usted más razón que un santo, tiene usted toda la razón del mundo, por ahí se empieza y después nadie sabe dónde podemos terminar.

Yo no soy más que una mujer que sólo sabe criar desgracia, me duele tener que reconocerlo pero es así, me gustan los machos, todos los machos, también los perros y los burros, los generosos burros, y me espanta la soledad, cada vez llevo peor la soledad, con menos resignación y paciencia, me gustaría poder estrangular la odiosa y atenazadora soledad, por eso hablo sola como los eremitas y los ciclistas que padecen de lombrices, pero cada día que pasa me siento más irremisiblemente sola, es malo confesárselo, ya lo sé, pero sería aún peor ignorarlo. Don Isidoro, el presidente de la Agrupación de Industriales del Polígono de San Pedro de Visma, se reserva el derecho de ir al retrete cuando le da la gana, ¡pues estaría bueno!, hace ya muchos años que renuncié a buscar la paz, si en el mundo pudiera rastrearse un último trasfondo de justicia, ahora sería la paz quien se afanase por buscarme a mí, pero no me hago vanas ilusiones. Eva no está poseída por el demonio, pero Ana María, la viuda del joyero, se pasa la noche abrazada a Julián Santiso; estos minúsculos sucesos podrían tener su oportuna representación geométrica espacial, todo sería acertar a aplicarles la fórmula de Gottfired sobre el azar y el tiempo: la vida es una rara amalgama de azar, destino y carácter, y la muerte no es sino una confusa mezcolanza de casualidades y arbitrios.

—¿Sería usted capaz de mantener esto que dice ante los tribunales?

—No, de ninguna manera, los jueces no suelen entender las razones ulteriores.

No juguemos jamás a confundir sino a aclarar y simplificar los términos del contrato, todos buscamos una amorosa palabra de apoyo, de acompañamiento y de esperanza.

—¿Y de caridad?

—Sí, también de caridad, en el fondo todo viene a ser lo mismo.

Yo ni desmiento ni enmiendo la plana a nadie, yo me limito a llorar por la calle y a no mirar jamás de frente ni a los ojos a los desconocidos.

—¿Prefiere usted la injusticia a la lujuria?

—Antes, cuando era joven, sí, antes me ilusionaba y me enamoraba la injusticia, pero ahora que estoy ya más escarmentada me quedo con la lujuria.

Margarita Romelle, la hija pequeña del agente de aduanas don Manuel, el de la razón social Sucesores de Wenceslao Romelle, S. L., era guapísima y resultaba muy atractiva para los hombres, eso suele ser cosa de los estrógenos, eso es una conducta automática, no volitiva, pero si se le suma belleza, mejor aún; Margarita tenía una melena larga y rubia pero una buena mañana, sin encomendarse ni a Dios ni al diablo, se la cortó casi al rape, parecía un quinto, su madre se puso furiosa y la tuvo encerrada un mes sin salir, su madre era de Ginzo de Limia, se llamaba doña Concha y hablaba mucho y con desatino, la voz tampoco la tenía agradable.

—¿Usted cree que doña Concha hubiera podido demostrar el último teorema de Fermat?

—No creo, mejor dicho: sin duda alguna, no. Doña Concha tampoco había leído la *Aritmética* de Diofanto, ¡qué ocurrencia!, doña Concha no leía más que las revistas de sociedad y *El mensajero del Sagrado Corazón de Jesús*.

A Primitivo Parizeau Cordero, es nombre supuesto, hijo del primer matrimonio de mi marido, lo mataron dándole con un remo de trainera en la cabeza, se la partieron en dos, mi marido dijo siempre que ninguno de los cinco hijos de su primer matrimonio tenía la cabeza lo suficientemente dura y culpaba de ello a su primera mujer, Esmeraldina Fragoso Ribarteme, es nombre supuesto.

Las mujeres no contamos de manera sustantiva para la historia, la verdad es que no contamos demasiado, la historia la interpretan y la escriben a tiros y a cañonazos los hombres, a veces también componen sonetos amorosos, y nosotras no representamos más que el papel de comparsas, gesticulamos y accionamos pero no hablamos, en Galicia aún vamos algo mejor con Rosalía de Castro, Concepción Arenal y doña Emilia, pero en el resto de España la mujer pinta poco, el hombre encuentra natural que la mujer se quede al margen de la historia, la costumbre tiene mucha fuerza y la mujer se suele confundir con la costumbre, la mujer es la vagina para dar gusto al hombre, la matriz para concebir hijos y los pechos para darles de mamar, esto es tan obligatorio como frecuente, esta regla general no suele ponerse por nadie en tela de juicio.

—¿Usted cree en la ley de la gravitación universal?

—No, yo no, ¿y usted?

—Pues yo, sí, perdone que se lo diga.

A mi tía Marianita, cuando le hicieron la autopsia, le encontraron la almendra garrapiñada que la mató, la tenía atascada en el gaznate. Una mujer que no hay por qué identificar ahora, conviene añadir un poco de misterio a la hacendosa necedad, estaba diciendo a un jubilado que pescaba jureles en el espigón del Náutico,

—Mi marido lleva los suspensorios bordados a punto de cruz, un ancla y sus iniciales, se los bordé yo misma con mucho cariño, tiene dos, los necesita de quita y pon porque los suda mucho.

—Claro, es lo más natural.

Margarita, desde muy pequeña, desde que tenía once o doce años, atraía a los niños como la miel a las moscas, por la calle se la veía pasar sola y airosa y triunfadora con un rastro de niños detrás, tres o cuatro niños, caminadores en pos del misterioso olor de sus hormonas como los canes tras la perra en celo. De aquel tiempo guardo un recuerdo confuso y dulzón casi venenoso, Margarita tiene la tez rosa pálido y delicadísima y los labios encendidos y muy hinchados, al anochecer se mete en la Rosaleda, que está oscura y misteriosa y se deja devorar por los niños, también por algunos señores, Margarita no habla ni mira de frente, ella pasea en silencio y de vez en cuando se para, sonríe con mucho comedimiento y deja hacer, deja que le acaricien las tetas como dos ciruelas y el culo, que parece de nácar. Don Nicolás Iglesias, Julio Verne, el práctico del puerto, se la encontró una noche en la Rosaleda, don Nicolás había sacado al perro a que se desentumeciese un poco, estos animalitos sufren mucho encerrados en un piso.

—¿Qué haces aquí?

—Nada, dando una vuelta.

—Venga, sal a la luz que aquí te puede pasar algo.

—No, señor, vengo todos los días.

Julio Verne era amigo del padre de Margarita, pero no le dijo nada, hay cosas que son muy difíciles de decir. Su hermana Manoli era seis o siete años mayor y se subía al coche de su novio, eso entonces estaba mal visto y se tenía por muy inequívoca señal.

—¿Tú tienes algo contra Matilde Meizoso, la mujer de Pichi?

—No, nada, ¿por qué?

—No, por nada, me había parecido que no te caía del todo bien.

Los domingos oíamos misa en el colegio de Peñarredonda, que era del Opus, también iban don Manuel Romelle, su señora y las dos niñas, la puerta era de cristal y doña Concha no se percató de que estaba cerrada y se dio un golpe atroz, empezó a gritar y a sangrar por la nariz, a mi hermana y a mí y a las dos Romelle nos dio la risa, nos desternillábamos de risa, nos meábamos de risa, nos moríamos de risa, y nuestro padre nos riñó muy severamente.

—Y esta tarde os quedáis las dos en casa sin salir porque esto que habéis hecho, además de una falta de educación, es una falta de caridad, algo vergonzoso e impropio de dos jóvenes bien educadas.

Margarita, a eso de los trece años, se fue a Londres a estudiar inglés, no faltó quien dijese que había ido a abortar. El cardenal primado don Vicente Enrique y Tarancón declara en rueda de prensa que por ahora continuará en España la costumbre de la comunión en la lengua, la Conferencia Episcopal votó por gran mayoría a favor del mantenimiento de este rito; algunos países europeos han establecido ya la comunión en la mano, pero en nuestro país se reducirá por ahora a algunos grupos suficientemente preparados, no conviene precipitarse, la precipitación no conduce nunca a lado bueno alguno.

—Con las ánimas del purgatorio yo no juego ni al diábolo, ni al chito, ni al gua; con las ánimas del purgatorio yo no quiero bromas, tengamos la fiesta en paz y no juguemos ni con las cosas sagradas ni con los espíritus del otro mundo.

El padre Gar-Mar, esto es apócope, el reverendo padre don Vicente García Martínez, sacerdote jesuita, que tenía voz de esposa del cordero, voz de tiple ligera, a diferencia del padre Cuadrado y del padre Castrillón, que tenían voz tonante, voz de bajo profundo, murió en Salamanca, los antiguos congregantes luises y estanislaos le dijeron una misa en la iglesia del Sagrado Corazón, entre ellos estabas tú, que siempre fuiste muy respetuoso y reverencioso.

—¿Te gustan los pitillos Capstan, que vienen en una cajita de lata?

—¡Ya lo creo! Lo que pasa es que son difíciles de encontrar.

La droguera de la calle de Santa Catalina le dijo a don Daniel Núñez Rodríguez, Satanela, dos o tres días antes de que se fuese para el otro mundo como un pajarito,

—Es lástima que se esté olvidando el arte de la caligrafía, ahora hasta se desprecia y se hace de menos; yo no tuve nunca buena letra, es bien cierto, pero mi hermano Néstor, el que está de misionero en Ruanda, el pequeño de los nueve, es un verdadero artista, cuida mucho las plumas y los plumines, también la tinta, y no se le resiste ninguna clase de letra por difícil que parezca.

—¿Y sabe varias?

—¿Varias?, ¡sabe todas! Mi hermano Néstor puso en letra magistral el Evangelio.

—¿El de San Mateo?

—No, el de San Lucas; lo quiso subastar para allegar fondos para la misión, que buena falta le hace, pero no se lo compró nadie, hoy día la gente carece de sensibilidad, es muy materialista, hoy día a la gente le es igual todo, entonces mi hermano se lo envió a Su Santidad el Papa de regalo, pero no le acusaron recibo, a lo mejor no llegó a sus manos y se quedó por cualquier recoveco del Vaticano, que Dios me perdone, tampoco quisiera faltar al respeto a nadie.

Lo más probable es que el porvenir sea un bien mostrenco, los títulos de propiedad de los ignorantes y los suicidas jamás son del todo reconocidos como válidos, el registro está muy desajustado en el mundo entero. A mi marido y a mí nos crucificaron en la punta Herminia, bueno, entre la punta

Herminia y el Cabalo de Pradeiras, por debajo de la piedra que dicen El Altar, más allá del polígono de Adormideras y del agra de San Amaro, es difícil imaginarse la contenida emoción de los niños de las escuelas aplaudiendo con entusiasmo en las aleccionadoras ejecuciones al aire libre, los niños de los orfelinatos y los de la inclusa disfrutan todavía más, en gallego se llama agra o seara a lo que en castellano, más o menos, se nombra senara, mi marido y yo conocemos bien el humillante dolor de la crucifixión, en los países húmedos los clavos crían mucho robín.

—Sé sensato y presta atención a lo que voy a decirte, es fácil de entender: con las ánimas de la Santa Compaña yo no salto a la comba ni tú debes saltar a pídola ni al trascuerno del diablo pelón, que come pepino, sandía y melón, que va por el aire hasta Corcubión, de noche no es prudente salir de la ciudad.

Cuando al comandante don Alfonso lo operaron de la próstata, la Orensana, doscientas y la cama, pudo tomarse el vermú durante unos días sin que la atufasen; en el bar Cartagena eran famosas las ventosidades de don Alfonso, la única que se atrevía a recriminárselo era la Orensana.

—¿Doscientas y la cama?

—Ésa.

En Kizilteke, en una tienda de campaña adornada con muy lujosos quilims de Karakay, moraba una bellísima y anciana prostituta kurda que se llamaba Smiltza y que vivía no de sus pregonados y evidentes pretéritos encantos y sus enfermizas mañas sino de organizar carreras de víboras y cacerías de ratas del desierto con galgos afganos, que son más sucios y airosos que ningún otro, para solaz de los turistas y los salteadores de caminos. A Smiltza le gustaba mucho pulsar el arpa y componer y meditar casidas amorosas, y preparaba su espíritu con un cocimiento de sangre de rata, canela en rama y almizcle en muy misteriosas y bien guardadas proporciones secretas. Su criado Solimán el de Kablakarum, a quien Smiltza había capado siendo niño pequeño con dos piedras de cuarzo, le inventó un ábaco de tabas de cabra para llevarle las cuentas con precisión, la chuca pintada de rojo valía por diez, y Smiltza, para demostrarle su gratitud, le dejaba dormir a los pies de su diván y le permitía matar a los animales desangrándolos con parsimonia. A Camilito Méndez Salgueiro siempre le gustaron mucho los cuentos orientales, lo malo es que en La Coruña no había demasiada afición. No se puede andar toda la vida saltando de La Coruña a Vigo y de Vigo a La Coruña, y esto no va por Camilito Méndez Salgueiro sino por otros y otras, hay gente que no está a gusto más que donde no está. Pescados Marineda quebró porque su dueño era culto e inadecuado, el que tenga tienda, que la atienda, esto de los traspiés en los negocios viene de leer libros en lenguas extranjeras como si no los hubiera en español, en la lengua de Cervantes y de san Ignacio de Loyola hay libros tan buenos como en inglés o francés, a los negocios hay que mimarlos para que no se desmanden, el ojo del amo, ya se sabe, trae el dinero a la mano, esto no es así pero no importa porque también engorda al caballo, Camilito Méndez Salgueiro pinta floreros y marinas, pinta a la acuarela porque el óleo lo pone todo perdido y él es muy aseado. Toribio Cándoas, el guarda de noche de Pescados Marineda, asaba gatos por entretenimiento, los asaba vivos para que no perdieran la sustancia y se moría de risa, a veces invitaba a gato y a parrochas a alguna puta del Relleno, había una pajillera portuguesa que era muy buena amiga suya, muy agradecida. Camilito Méndez Salgueiro echó a la calle al que asaba gatos en cuanto se enteró de sus deformantes actividades, pero tuvo que dar marcha atrás porque Toribio le dijo que a él también lo iba a asar por maricón y florito, hay gentes imposibles y con ellas lo mejor es callarse para no complicar demasiado las cosas.

—Yo noto que la cabeza ya no me funciona como antes, ahora se me emboza como si tuviera calentura, esto de ir para viejo tiene mal arreglo, pero yo me apunto a seguir vivo, usted ya me entiende. ¿Se acuerda de aquello que le dije hace algún tiempo del nominativo del pronombre personal de primera persona?

—Pues, la verdad, no mucho, usted perdone, mi memoria ya no es la de antes.

—Está usted perdonada, la verdad es que tampoco merecía la pena, se lo decía por decir algo.

—Ya.

A Fernando Gambiño Aruñedo, el cajero de Efectos Navales Ernesto Astray e Hijos, digo, Ramiro Astray e Hijos, le dieron garrote en el patio de la cárcel por el asesinato de su esposa Berta González Abuín; mientras el señor Matías, el verdugo, hacía girar el torniquete y el reo exhalaba el último suspiro, también guiñaba la lengua bajo la piadosa bufanda del consuelo, parecía una servilleta, las gaviotas volaban graznando y alborotando sobre la Torre de Hércules.

—Descanse en paz F. G. A., que bien caro pagó un mal momento.

—Que Dios lo haya acogido en Su Santo Seno. Amén.

Cuando éramos muy jóvenes, cuando andábamos por los diecisiete o los dieciocho años, casi todos nuestros pretendientes tenían una hermana bizca y una tía coja. Federico Maroñas Arguindey, que era amigo de todo el mundo, en La Coruña lo queríamos mucho, le estaba diciendo a don Pilar Cascudo, el comisario de policía del Gobierno Civil, que era hermano de Jesusa,

—A mí no me gustó nunca emborrachar a las mujeres con anís dulce porque después pasa lo que pasa.

—Claro, tiene usted razón.

Y una recapacita: estamos al borde mismo de avergonzarnos de esta crónica amarga y sentimental, la sangre llama a la sangre y aquí vamos a acabar todos vomitando sangre.

V

Desenlace, coda final y sepelio de los últimos títeres

Sola una cosa tiene mala el sueño, según he oído decir, y es que se parece a la muerte, pues de un dormido a un muerto hay muy poca diferencia.

Sancho, en el cap. 68
de la segunda parte del *Quijote*

LA VOLUNTAD AYUDA MUCHO, ésa es cosa bien sabida, aunque la voluntad jamás pueda suplir a la razón, la voluntad manda pero no discierne, la voluntad no sirve más que para decidir, sólo con la voluntad no se dominan mundos, ni se derrota a la muerte, ni se desbanca el casino de Montecarlo, sólo con la voluntad no se consiguen sino logros muy modestos, ganarse el pan, encauzar la fama, bailar el tango con una mediana maestría, cada cual se defiende como se lo permite su voluntad y como puede de sus cotidianos y mansísimos o domésticos sacrilegios, ninguno del todo bien ensayado. A los hombres y a las mujeres, a los caballos y a las yeguas, a los carneros y a las ovejas no les gusta la muerte, pero se sienten atraídos por la muerte, eso pasa también con los abismos de la tierra y los acantilados de la mar, nosotros lloramos a los muertos, pero los muertos ni nos lloran ni se ríen de nosotros ni de nuestras tribulaciones, la muerte acarrea insensibilidad e inercia, cuando alguien se muere siempre alguien se alegra, es el cruel axioma de los vasos comunicantes de la sangre, no se puede amenazar de muerte a quien no teme a la muerte. Mi nombre no es Matilde Verdú, yo digo que mi nombre es Matilde

Verdú para confundir a los huérfanos, a las tórtolas y a las viudas menores de treinta años, que suelen ser bestezuelas asustadizas. Escuchadme lo que quisiera deciros, no es sólo verdad que el incesante camino hacia la muerte, que el sendero que lleva hasta la muerte, nos lime asperezas porque también nos va sembrando el alma de esquirlas durísimas y agudísimas.

—¿Y váyase lo uno por lo otro?

—Pues sí, quizá sí.

La muerte no enmienda ni la muerte ni la vida, el filósofo Martínez el Buey se escudó en su error y le dijo a su novia Leonarda, amor mío, sólo los elegidos de los dioses gobiernan y atemperan y amansan la muerte propia o ajena, los demás nos limitamos a morir o a matar con dignidad o vilipendio mayor o menor, aunque siempre muy limitado y mensurable, muy minúsculo y sólo medianamente pertrechado. Matilde Verdú recapacitó con serenidad.

Me doy cuenta de que esta crónica va llegando a su fin, pero no ignoro que la muerte no me restará sufrimiento porque antes, mucho antes de que acuda con su guadaña y el nuevo día rompa en el horizonte, me vaciará la conciencia de sus últimos aromáticos contenidos, todos los enfermos y todas las solitarias deben recordar que la conciencia navega por cauces paralelos a la desgracia.

Pido perdón a todos porque las circunstancias me obligan a abrir el obituario bien a mi pesar; reconozco y confieso que tiene su dulzón encanto, su almibarado atractivo, pero pese a todo proclamo que no me gusta el oficio de enterrador, el menester de sepulturero, al enemigo debe dársele defensa, el verdugo se toma demasiadas ventajas y por eso se le condena al aislamiento de una única taberna ruin, sucia y casi vacía, de nada le vale tener un nombre poético, el Tiburón de Oro, el Alce Enamorado, el Puerco Espín Trompetero, para nada le vale.

Betty Boop se llama Claudia, como algunas ciruelas y algunas mariposas, pero casi nadie lo sabe, su abuela Clara pudo haberse llamado Claudia como algunos maricones y algunas arpistas, pero se llamaba Ermitas, esto tampoco lo saben sino muy contadas personas. Betty Boop siempre creyó más en la vida que en la muerte, pero su fe le valió de poco porque murió revolcándose en las amargas heces del dolor que no tiene ni principio ni fin, Betty Boop no pudo echar nunca raíces en la tierra y el corazón acabó ahogándosele en la soledad, ése es el castigo que Dios reserva a quienes no obedecen su mandato con los ojos cerrados: los demonios se reclutan entre los ángeles desobedientes, a los ángeles como Dios manda no se les permite ejercer la voluntad. Robert Bahamonde se casó con Betty Boop, pero el amor no pasó entre ellos de la anécdota de los latigazos con el cinto de cocodrilo y eso es poco, mejor dicho, eso no es nada, eso es algo que ni merece la pena reseñar.

—¿Te gustan las truchas tal como salen del río?

—Sí, mucho, me gustan mucho, las truchas deberían comerse siempre crudas y vivas.

A todos los refugios de última esperanza que buscó Betty Boop se le fueron cerrando las puertas a cal y canto, algunos hasta ardieron con violentísimas llamaradas rojas, amarillas y verdes, todas las tablas de salvación a las que quiso asirse se le fueron hundiendo una detrás de otra, las había que llevaban flotando ya mucho tiempo, se les notaba la edad en que estaban recubiertas por una tupida costra de percebes inmensos e insípidos.

—¿Por qué no cierras piadosamente los ojos a los muertos?

—Cállate, no es éste el momento de pedirme cuentas como a un cajero de dudosa fidelidad, hay que tener valor para mirar a los ojos a los muertos, a los ojos que ni te ven pero tú no lo sabes.

—Perdóname, Roque Murguía, tampoco quise ofenderte.

Hipólito Parga, el practicante de La Esclavitud, se acostó siempre con Rómula, la criada de la abuela de Betty Boop, en posturas decentes, en eso se le notaba que había sido seminarista, a Betty Boop le gustaban más las posturas indecentes, eso puede ser un juego confundidor y peligroso porque el demonio, al final, siempre acaba pasando factura, el demonio regala bienes materiales, pero no perdona deudas espirituales y el que le vende su alma acaba irremisiblemente en el infierno antes o después, el tiempo ni cuenta ni importa cuando se le condena a arder por los siglos de los siglos en la caldera de Pedro Botero, en la sartén de la eternidad. Roque Murguía era primo de Hipólito Parga y también barbero y sangrador, tenía muy justo renombre por todo el contorno. Robert Bahamonde ejercía de aparejador en Betanzos, antes había estado en Ribadavia.

—¿Qué tal va el trabajo?

—¡Vaya, no hay queja! Si se tienen ganas de

trabajar, no falta; el que no trabaja es porque no quiere.

Roque Murguía cambió el tercio sin mayor aviso, era muy aficionado a hacerlo así.

—Hablando de otra cosa, ¿te acuerdas de la gracia que tuvo la muerte de tu tía Marianita?

—¡No me hables! Bueno, tía Marianita no era tía mía, pero yo te entiendo, la verdad es que la llamé tía Marianita toda la vida porque estaba siempre en casa, iba por las tardes a tomar el té, era ya una costumbre.

Betty Boop tuvo una niña, María Pía, pero no le hacía ni caso, la verdad es que no le hacía caso alguno. En las ruinas de Kalekapi y entre sapos, alacranes y viejos que esperan la muerte, tampoco son multitud, en el momento de escribir estas líneas no son más que cinco mujeres, tres hombres y un eunuco, también había ratas con el pelo rizado, perros rabones y sarnosos y hienas hediondas de color ceniza, en las ruinas de Kalekapi se crían los célebres giros türkkögüs, los paladines de la única raza de pavos de pelea del mundo, Betty Boop se cortó el pelo a poco de casarse, todas las mutilaciones son dolorosas, pero cortarse la melena, para una mujer, es casi como amputarse un seno, ninguna mujer se ha hecho jamás el haraquiri en los senos, ninguna mujer se ha cortado jamás un seno para tirarlo por el balcón, los pavos de pelea de Kalekapi son capaces de plantarles cara a los demás animales del desierto, con los viejos que esperan la muerte sentados en el santo suelo no se atreven, aguardan a que les deje de latir el corazón en el pecho y en las sienes. Cándido Julián, el piragüista, se sabía el *Martín Fierro* de memoria y había estado en la Legión Extranjera, una mañana a la puerta del café Galicia le partió la cara a Serafín Lampón, Tordo, no se sabe bien por qué, ninguno de los dos quiso explicarlo nunca, Serafín Lampón ni se defendió siquiera y Cándido Julián no le pegó más que lo justo, a la niña María Pía la cuida Rosiña Abeledo, una criada muy maternal y meritoria, con buenos y generosos sentimientos y mucho instinto de conservación.

—¿Usted sabe que las niñeras suelen dormir a las criaturas poniéndolas al gas para que se medio atufen?

—Bueno, Rosiña, no, de ninguna manera, de eso puede estar usted bien segura, Rosiña tiene muy buenos y generosos sentimientos como dice la señorita Matilde y cuida a la chiquilla con mucho mimo.

Es una vergüenza lo mal que aguantan la tinta los rollos de papel de retrete marca La Delicadeza Alemana, son ásperos, esponjosos y desagradecidos, esto de escribir crónicas se convierte en una verdadera tortura, y lo que podría ser un deleite gozoso es un suplicio indignante y atemorizador. El demonio Acebuche Tasende anda muy confundido porque la báscula municipal se le desequilibra a cada momento, está aún en garantía, pero el representante dice que queda muy lejos, de Valladolid a Arzúa hay más de cuatrocientos kilómetros, el representante tiene razón; Tonecho, el ferreiro de Melide, le da a veces algún martillazo y así vamos tirando.

—¿Y tú qué vas a hacer?

—Nada, aguantar, ¿qué quiere usted que haga?,

con esto de las básculas municipales hay que tener mucho aguante.

—¿Y mucha paciencia?

—Sí, también.

A la señora Pilar Seixón le llaman la Virgen, con uve mayúscula, aunque había tenido tres maridos y amores pasajeros con todos los curas que habían ido pasando por la parroquia de San Cristóbal de Donalbai, algunos hacen terminar este nombre en y griega, con todos los curas sin dejar ni uno. Matilde Verdú puso la voz adecuada y le dijo a su confesor,

—Mire, usted, don Walter, yo soy una mujer que jamás acertó a ser feliz, quizá esté pagando ahora las atroces culpas de cualquier encarnación anterior, eso es algo que nunca podré saber, el pretérito de las almas es siempre un arcano en el que no se puede bucear, es inútil querer ver en la tiniebla, tan inútil como buscar nécoras en el horno de cocer las empanadas.

—Bien, hija, arrepiéntete de no haber sido feliz y aparta de tu mente las filosofías engañosas, reza con unción y recogimiento el confíteor, reza también un paternóster y tres avemarías de penitencia y vete en paz y gracia de Dios.

—Sí, padre.

A don Walter le gustaba mucho desayunar un cruasán relleno de tortilla francesa, jamón de York y lechuga, todo bien espolvoreado con azúcar de flor, para beber tomaba té de jazmín como los chinos y una o dos copitas de vino dulce, de oporto o málaga o pedrojiménez, don Walter era muy sibarita y laminero. Mackinlay's discoteca club y el gran conjunto Doble Sonido les esperan a ustedes en el Puente del Pasaje (enfrente de la gasolinera) para hacerles pasar un rato muy agradable en un ambiente acogedor y a precios normales.

—¿Eres de La Coruña?

—¿No lo ves?

—¿Bailamos?

—¿Me invitas?

—¿A qué?

—¿A ti que más te da?

—¿Te dejas?

—¿Tú qué crees?

—Bueno, ¿bailas?

—Sí.

Betty Boop, aunque se lleva mal con Enriqueta, las nueras se suelen llevar siempre mal con las suegras, es un uso admitido, se encuentra relativamente a gusto en Porriño, esto es un piadoso fingimiento y un caritativo decir, esto no pasa de ser una manera de hablar sin comprometerse porque, mirándolo bien, costaría mucho trabajo admitir que Betty Boop se encontrase a gusto en Porriño o en ningún lado, ni relativamente siquiera, nadie habría de creérselo porque se le ve un poco desazonada y como nerviosa, también empieza a abandonarse y a salir de casa despeinada y sin pintar, ella, que había sido siempre tan coqueta y presumida, Betty Boop se pasa el día en la calle yendo de un lado para otro, a la cafetería, al despacho de Robert, al supermercado, a la iglesia, todas las mañanas va a la iglesia y está de rodillas y con los ojos cerrados más de media hora, los domingos lo pasa muy entretenida en el mercado al aire libre de los invasores, de los coreanos, aquí llaman los invasores y los coreanos a los portugueses que vienen a vender ropa, cacerolas y loros y a comprar muñecas, chocolate y bacalao, en La Coruña llaman coreanos a las bandas de mozalbetes del barrio de La Bañou, más allá de San Roque de Afuera, a espaldas del Hospicio Provincial y del Patronato de la Caridad Padre Rubiños, que rompen farolas, apedrean parejas, atacan señoritas y hacen burla a los viejos que salen a pasear, los portugueses de Porriño cocinan el bacalao en el hornillo de butano que instalan detrás del puesto, en aceite casi hirviendo fríen la cebolla, cuando se empieza a dorar le echan el bacalao en migajas bien limpio y sin espinas, lo revuelven con un palito y lo ponen a fuego manso durante unos minutos, cuando lo sacan de la lumbre lo adornan con perejil picado y ya está, los portugueses tienen que vigilar que los niños españoles no les echen tierra en la cazuela, los niños son unos desalmados que gozan haciendo el mal, a Betty Boop también le dan ganas de echarles tierra en el bacalao o de pegarle una patada al tingladillo, los portugueses se defienden bien y vigilan todo con cien ojos porque se juegan las ganancias, decir que les va la vida sería decir demasiado, los portugueses vienen en unos autocares lujosos que ya los quisiéramos nosotros para los días de fiesta, tienen hasta televisión y guaterclós.

—¿Usted juraría por sus difuntos que Clara Erbecedo, q.e.p.d., la abuela de Betty Boop, era una buena cristiana, una mujer digna de consideración y respeto?

—Sí, sin duda alguna.

Clara Erbecedo, hace ya algunos años, tampoco muchos y no siendo ya ninguna niña, murió pasados los sesenta y esto que ahora se cuenta sucedió poco antes, se acostó una noche en la playa de Riazor con un marinero que hablaba una lengua desconocida, no era holandés, ni danés, ni noruego, a lo mejor era finés, estaba subiendo la marea y las olas le mojaron el culo.

—¿Al marinero?

—No, a la señora.

Hay dos usos que se permiten entre desconocidos, por lo menos en España, pedir fuego y preguntar la hora.

—-¿Puede usted decirme qué hora es?

—Sí, con mucho gusto, son las siete y veinte o sea las diecinueve veinte.

—Muchas gracias.

—No se merecen.

Da risa pensar en las aventuras de las señoras mayores muertas, a Clara le gustaba ver orinar a Fifí, vamos, a Javier Perillo, el muchacho tenía que cerrar los ojos cuando se le empinaba, que era casi siempre, ¡no me mires!, ¿no ves que no puedo concentrarme?, llega un momento en el que toda experiencia empieza a ser aburridora, a resultar monótona y cargante, el demonio Satán Vilouzás, Licorín, tentó al comandante don Alfonso a pesar de que éste estaba in albis y no conocía mayores precisiones del asunto; en la romería del Espíritu Santo se toma un pulpo buenísimo, un pulpo de primera calidad, hay gente que no se cansa nunca de comer pulpo, el que vendió su parte en la fábrica de gomas higiénicas La Alsaciana, ¿de quién era marido?, no lo sé, lo que sí recuerdo es que se ponía a comer pulpo y no paraba, el pulpo lo preparan muy bien, entre otros sitios en Melide, en el camino de Lugo, y en Carballiño, en el camino de Orense, las dos villas quedan muy lejos de la costa.

—¿Usted considera que el pulpo es saludable para el cuerpo?

—Sí, sin duda.

—¿Y para el alma?

—También, para el alma también, incluso aún más.

A Clara Erbecedo le picó la tarántula de la espigaruela y no pudo resistir el embate, al poco tiempo tenía todo el organismo sembrado de miseria, ése es el doloroso final del cáncer de útero, los aquí reunidos pedimos a Dios Nuestro Señor que le haya concedido a Clara Erbecedo el eterno y merecido descanso.

—Amén.

—Amén. Todo el que nace tiene derecho a descansar.

—Hagamos votos porque así sea siempre.

—Amén.

—Amén.

El consumero Abeleira Cedeira iba de putas todos los primeros y terceros viernes de mes, el orden es el orden y no sobra jamás, al contrario, facilita las cosas tanto materiales como espirituales y da flexibilidad y realce a las relaciones entre los seres humanos, el consumero Abeleira Cedeira se ocupaba siempre con la Orensana, doscientas y la cama, también le satisfacía el comportamiento y el buen deseo de acertar de Marica la Caralluda de Valadouro, pero no tanto, cuando mataron a la Orensana el consumero se sintió como huérfano, ¿se puede decir una misa por el alma de una puta?, pero cuando se descrismó contra las peñas que baña la mar volvió todo a su equilibrio.

—¿Le gusta el jarrete de toro de Karabuk?

—Bueno, sí, ¡qué quiere que le diga!, la verdad es que lo encuentro muy bueno, aunque quizá prefiera el de vaca del país, ya sabe usted que en esto de los gustos influye mucho la costumbre.

Cuando Betty Boop se queda embarazada por segunda vez empieza a acentuársele el desequilibrio, cada día está un poco peor y más desarreglada, más abandonada; la niña, de esta vez también le nació una niña, Inesita, fue a tenerla a La Coruña, a la sombra de su madre, dio a luz en el Sanatorio Modelo, en la Ciudad Jardín, y se conoce que perdió el control porque sus gritos se oían desde la calle, ¡qué manera de alborotar!

—¿Podrías jurar con una mano puesta sobre el Evangelio que tu marido jamás se tiñó el pelo de color ciclamen?

—A mí no me gusta jurar, me da reparo.

—¿Y de color violeta?

—No comento.

—¿Y de color zanahoria?

—No comento.

La historia se escribe sobre los libros de historia, sobre los pautados manuales de historia, y no cuenta más que falacias literarias, épicas y confusísimas y nunca del todo verdaderas, ¿pueden darme un vaso de agua?, sí, ¿puedo continuar?, sí, con la venia, lo peor de las mujeres vulgares no es que no tengamos historia, eso sería lo de menos, lo peor es que la historia nos anega en vulgaridad, en monotonía y en rutina, quizá sean éstos los excipientes adecuados.

—Que caiga sobre mí todo el dolor que pueda caber en los corazones más abatidos por el desengaño, que yo me comprometo a plantarle fuego con una ira constante.

—El dolor violento y pasajero no marca, pero el dolor manso y constante puede llevar a la locura.

—¿Y al crimen?

—Sí, también al crimen.

Betty Boop y Robert se trasladaron con las dos niñas de Porriño a Vigo, la situación en casa de Enriqueta era ya insostenible, las cosas entre el matrimonio van de mal en peor y la economía tampoco está en sus mejores y más prósperos momentos, el origen de todo no era probablemente tan inmediato, duele ver cómo el nivel de la amargura, la marea de la amargura va inundando poco a poco las cabezas, los corazones y las almas, Betty Boop y Robert alquilaron un pisito más bien modesto en la calle del Marqués de Valladares.

—¿Pudo haber algún resquicio para el arreglo?

—Quizá no, la decepción no tiene marcha atrás.

Al Tigre de Mugardos no le importa mayormente la política, a él le es igual porque eso es cosa de gente con estudios.

—A mí lo que me va es trabajar y boxear, también es bonito eso de ser torero, se ganan muy buenos cuartos, pero yo abulto demasiado, en el bar de Xestoso fríen las parrochas como en ningún sitio y yo tampoco necesito mayores esmeros.

Todas las vidas son breves, aunque algunas parezcan durar demasiado.

—¿Tú querrías vivir el doble que el que más, doscientos años por ejemplo?

—No sé, no creo que lo resistiese.

Miguel Negreira, el profesor de violín, se ahogó en la isla Malante, en las Sisargas, donde bate la mar con desconsideración, esto ya se puede decir que es la Costa de la Muerte, por aquí empieza sobre poco más o menos, Miguel Negreira se había estado bañando en la playa de Barrañán, en Arteixo, y se conoce que iba ya cansado, la piragua requiere mucha maña y mucho sacrificio y Miguel Negreira tampoco era Cándido Julián, a Betty Boop le dio la mala noticia Ofelita Barcia y estuvo varios días llorando y sin comer, Robert no le dijo nada porque estaba ya un poco harto.

—A la piragua le pasa como al porro, que puede dar mal ejemplo.

—Sí, eso sí.

Mary Carmen, la tía de Betty Boop, está cada día peor de la cabeza, cuando se escapa de Conjo, que es casi todos los meses, le calienta los cascos a Evaristo y éste le pega una tunda a Chus el loquero, Mary Carmen disfruta siendo maltratada, pero también le gusta maltratar aunque sea por mandado, el caso es enterarse bien, un día Evaristo tiró a Chus desnudo al pozo de las monjas, a poco más lo ahoga, se le llevó la ropa y Chus tuvo que esperar la noche para salir, otro día le puso una lavativa de amoniaco rebajado con agua, se lo sujetó el Tigre de Mugardos, estaban los dos muertos de risa, a poco más lo desgracia para siempre, cuando Chus cobra se pasa una temporada sin darle correazos, sin escupirle y sin llamar puta a Mary Carmen. Cada cual pasa como quiere las tardes de los domingos, viendo la televisión, hablando por teléfono, dándole al ordenador, clasificando sellos, metido en la cama, leyendo los *Espisodios Nacionales,* jugando al ajedrez o al tute, jugando al parchís o al juego de la oca, a esto no se le puede aplicar la misma regla porque no existe y además porque cada cual pasa las tardes de los domingos como le da la gana.

—¿Por qué pierdes las tardes de los domingos aplicándote a esas inútiles prácticas de taquigrafía?

—De caligrafía, no de taquigrafía, cada cinco domingos dedico uno a la ortografía, y te aseguro que las tardes de los domingos no las pierdo sino que las gano, a mí me enseñó el padre Néstor, el hermano de la droguera de Santa Catalina, usted lo tiene que conocer, el que está de misionero en Ruanda, yo le estoy muy agradecido.

Betty Boop está cada vez peor, no atiende a las niñas ni al marido y se pasa el día tumbada en la cama o paseando, también va mucho a la iglesia y a las reuniones de la Comunidad del Amanecer de Jesucristo, su madre acertó a escapar, pero ella ni siquiera lo intentó, Betty Boop es María Magdalena y atiende a la meditación total de la iluminación, también aspira a liberarse a través de la doctrina del pensamiento y de la práctica de la terapia sexual.

—Permíteme que te tutee, ¿tú admites que la vida imponga sus condiciones?, ¿tú piensas que se deben aceptar pase lo que pase y con los ojos cerrados?, ¿tú has leído a Baudelaire?

—Puede usted tutearme con toda confianza, para mí es un honor. Y en cuanto a sus preguntas, digo que no a las tres: creo que a la vida hay que embridarla, que plantarle cara, y creo que no se le debe decir amén a todo, mejor dicho, creo que no se le debe decir amén a nada. Tampoco he leído a Baudelaire, la verdad es que yo he leído muy poco.

A don Severino Fontenla le gusta hablar de la muerte y de la salvación eterna con Matilde Verdú.

—Se dice que un punto de contrición salva las almas, pero no es verdad, eso no puede ser verdad, resultaría demasiado cómodo que fuese así. ¡Hala! Un hombre se pasa la vida pecando contra los mandamientos de la ley de Dios y aliándose con el mundo, el demonio y la carne, o sea disfrutando de sus deleites y cadencias y cuando le llega la hora se arrepiente y en paz, ¡a gozar de la presencia del Todopoderoso por los siglos de los siglos! A mí me convendría que esto fuese verdad, ¡que más quisiera!

—¿Y no lo es?

—No sé, no creo.

Adriano Aceijas, el sablista especializado en bodas y velatorios, los bautizos y las primeras comuniones se le dieron siempre peor, debió morirse ya porque nadie lo ve por lado alguno, a lo mejor se murió hace ya algún tiempo, cuando se muere un desgraciado, cuando a un quídam se le para el pulso y se le espesa la circulación de la sangre, nadie lo echa de menos y su recuerdo se va esfumando poco a poco como una nubecilla maloliente, a lo mejor se esfuma muy de prisa; hay dos clases de desgraciados, los que tienen recomendación o suerte y mueren en el hospital y los que suman infortunio a la desgracia y se mueren en medio de la calle, sentados en el suelo disimulada y casi imploradoramente y con la espalda apoyada en una pared en la que no molesten.

—¿Tú crees que la vida encauza y condiciona la conciencia?

—Sí, en los hombres débiles.

—¿No sería mejor pensar que la conciencia determina la vida?

—Sí, pero no sería cierto más que en casos muy contados.

El matrimonio de Robert y Betty Boop se derrumbó con estrépito, también inevitablemente, Robert se fue con las niñas otra vez a Porriño, a casa de su madre, y Betty Boop se quedó en el piso de Marqués de Valladares, de donde acabaron desahuciándola; Robert pidió el divorcio y la jueza le dio la custodia de las niñas.

—¿Te acuerdas de lo del inglés, cuando dice que la vida no es sino una errante sombra?

—Sí, claro que me acuerdo.

Betty Boop va constantemente de Vigo a La Coruña y al revés, roba fruta y chocolate y latas de conservas en el supermercado, vende la sortija de pedida, unos pendientes de brillantes y rubíes que habían sido de su abuela Clara y los pocos muebles que le quedaban todavía, le pide dinero prestado a los amigos, a veces parece casi como si pidiera limosna, y se pasa el tiempo cruzando Galicia, se ve que va escapando siempre.

—¿Y no se le transparentaron inclinaciones al suicidio?

—No, yo creo que prefería morirse poco a poco.

Eva, la madre de Betty Boop, no la quiere ver demasiado por su casa porque lo pone todo patas arriba y le roba dinero, comida, ropa, todo lo que encuentra, las joyas las tuvo que esconder detrás de los libros, algunas llevaban tres generaciones en la familia, si Betty Boop se hubiera querido quedar con Eva, su madre, todo hubiera sido otra cosa, su madre estuvo siempre dispuesta a perdonar y a empezar la cuenta de nuevo, pero no quiere sujetarse, quizá sea cierto eso de que se está mejor en la calle como un pájaro, como una hormiga o como una mosca, cuando la llama subterránea rompa su prisión y devore la forma tú serás todavía tú en libertad, fundiéndote con el cosmos.

—Buenas tardes, don Nicolás.

—Buenas nos las dé Dios, hija mía, buenas y santas.

Don Severino, el cura aficionado a tocar el arpa, decía que don Nicolás Iglesias Blázquez, Julio Verne, había tenido amores pasajeros, eso sí, con Matty, nadie lo podría jurar, don Nicolás tenía días en los que era muy comedido en la expresión, entonces parecía un padre salesiano y no un práctico del puerto.

—¿Qué? ¿A dar un paseíto para desentumecer el organismo y estirar un poco las piernas?

—Pues sí, en cierto modo. Voy a ver si me llego a las Galerías María Pita a comprarme un par de camisas de sport.

A Julio Verne le gustaba llevar camisas de sport por el verano, camisas de anchas rayas de colores casi chillones, manga corta, con bolsillo y con sus iniciales N.I.B. en letra de molde, en esto copiaba a los ingleses, los prácticos fueron siempre medio anglófilos.

—¿No le pasó ya un poco la edad de esas camisas?

—No creo, ahora se estiró mucho eso de las edades y las modas, ahora es todo más flexible.

Lo único que hace temblar la silueta de los derrotados es la fiebre propia o la mansedumbre ajena, todos aguantamos más de lo que creemos, también más de lo que quisiéramos, hay animales de espíritu delicado y cuerpo quebradizo, la gacela, el murciélago, el ciempiés, la hiena, la lombriz intestinal de ciertos mamíferos, y animales de temple heroico y repugnante y armadura de acero, armazón tan recia como el pedernal, el lagarto, el gorrión, el hombre, el conejo, la garduña, siempre ha sido preferible ver venir la muerte y acertar a esquivarla, la muerte no es un estado sino un trance.

—Piensa en la muerte y saluda a la vida con cohetes y fuegos de artificio.

—No me atrevo, no sé si eso no será tentar a Dios.

—No creo, Dios no se deja tentar de modo tan inmediato, tú pídele a Dios tu propia muerte y no copies a nadie para morirte.

Ortiz, el de Efectos Navales, sabía cómo se llamaba el marinero que se acostó con Clara en la playa de Riazor: Erkï Hyvinkää, era cliente del almacén y muy simpático, no se le entendía pero era muy simpático.

—¿Y algo borracho?

—Sí, eso sí, también algo borracho.

Por primera vez en España hay una mujer ingeniero agrónomo, es de Oviedo, se llama María del Carmen y tiene veintidós años. Ni queremos ni podemos renunciar al celibato, declara el padre Arrupe, S. J., en Lima.

—Bueno.

En la esquina del Cantón Pequeño con San

Blas hay un ciego que vende lotería, tiene fama de dar la suerte.

—Ya lo conozco, se llama Delfín Silvosa y es de Ordoeste, cerca de Negreira, a mí me dio un premio de treinta mil duros en el sorteo del Niño.

Del equipo de novia de Betty Boop ya no queda nada, ni sábanas, ni mantelerías, ni toallas, lo que se dice nada, todo lo fue fundiendo y malbaratando, ahora Betty Boop va sucia y rota, va desastrada, y la echan de los sitios por el olor que despide, por el hedor a reseso que le resbala de la carne y que lo atufa todo a su alrededor, en las cafeterías le dan el café en un vaso de plástico y tiene que tomarlo sentada en la acera, si llueve se mete en un portal.

A la cruz de San Andrés no se la lleva la marea, a la cruz de San Andrés tampoco se la lleva el viento, a la cruz de San Andrés sólo se la podría llevar el demonio y en La Coruña todos sabemos que no quiere hacerlo, ningún demonio, ni Satán Vilouzás el de Vimianzo, le llaman Licorín, ni Lucifer Taboadela el de Escornabois, ni Belcebú Seteventos el de Seixosmil, a éste le llaman Anisete, ni Astarot Concheiro el de Vilatuxe, que es marica, ni ningún otro que se haya podido esconder por la punta Cusinadoiro, donde el río Lires, o por las fragas de San Paio da Boullosa o de Rubiás dos Mistos, en la raya orensana de Portugal, ningún demonio del país tiene intención de desmontar la cruz de San Andrés, a mi marido y a mí nos van a crucificar en la playa del Parrote, por debajo del jardín de San Carlos, pero todavía no nos preguntó nadie cuál va a ser nuestra última voluntad, caldo gallego, tortilla de patatas con chorizo, callos con garbanzos, pan, vino tinto, helado de fresa, café, copa de aguardiente y puro, a la otra vida se debe llegar reconfortado, es la única forma que se conoce de que no se ensañen con uno.

—¿Quiere usted que siga enumerando posibilidades?

—Sí, una más, sólo una más.

Admito que a la cruz de San Andrés pueda llevársela por delante la costumbre, estamos aún muy lejos de que esto sea así, pero la costumbre podría barrerla e incluso hacerla astillas; mientras el hambre se ensañe con los negros que se resisten a admitirla como norma, la cruz de San Andrés seguirá siendo el inútil símbolo de todos los despropósitos gratuitos.

—¿Puedo descansar un poco?

—Sí, tómese una semanita entera, la verdad es que se lo merece.

El abuelo de Matilde Verdú fue militar, era teniente coronel de carros de combate, el arma es caballería, y murió en el cumplimiento del deber durante la guerra civil, lo mataron en el frente de Valsequillo, Córdoba, le pegaron un tiro en el vientre y murió sin que diera tiempo de llevarlo al hospital, murió por el camino. Robert, a los dos años de divorciarse, se casó con una chica que se parecía muchísimo a Betty Boop, eso no es norma general pero casi, a eso le falta poco para ser norma general, eso es algo que suele pasar, se conoce que remuerde menos la conciencia porque se supone que la traición es más llevadera.

—¿Recuerda usted el nombre de la nueva mujer de Robert?

—No, lo supe pero se me olvidó, sólo recuerdo

que era de Tuy y puede que pariente de don Manuel, el cónsul de Portugal.

Fernando Gambiño no tuvo suerte porque le dieron garrote sin esperar a que lo matase la cirripona que llevaba a cuestas, él no lo sabía, ni el juez, ni el verdugo tampoco, pero Dios sí, a Dios no se le oculta nada y menos las decadencias, los hundimientos y los derribos, por Torregamones, por Fermoselle y por Formariz llaman cirripona al cáncer de hígado, esto de los nombres de las enfermedades es muy aventurado y huidizo, se escapa frecuentemente de los lexicones y hasta de los usos, a Loliña Araújo, Faneca, le mordió el cangrejo venenoso del zaratán y se murió a los tres meses, se conoce que ya venía arrastrando la miseria desde hace algún tiempo, la esquela mortuoria fue del mismo tamaño y muy parecida a la de Clara, sólo variaban los nombres y las fechas; Baldomero, el sacristán de Santa Lucía, le mandó decir una misa a sus expensas, el recuerdo de los actos deshonestos obliga a mucho. Fran, el hermano de Betty Boop, es Simón Pedro, lo convenció en seguida Julián Santiso, no tuvo que esforzarse demasiado, y remató la labor Salustiano Balado Abeijón, el que fecundaba a Matty con la semilla del bien, todos los caminos son buenos para acceder a la paz del espíritu y al encuentro con el Uno a través del misticismo de entrega, te doy todo lo que soy, todo lo que tengo y todo lo que pudiera tener a cambio de que fortalezcas mi espíritu en la obediencia, es tuyo todo lo que me pidas, mi cuerpo y mi alma, mi corazón y mi voluntad, y mi único deseo es complacerte para que puedas seguir guiándome a través de la incertidumbre y la tiniebla, amén, liberemos nuestras potencias a través de la doctrina del pensamiento, amén, declaro contigo que en la Escuela de Albores reposa la única verdad, amén. A las vagabundas las preña el hambre y la desventura, Betty Boop quedó preñada cuatro veces más, ella no sabe de quién, siempre hay un marinero que no tiene donde dormir, con la bolsa vacía tampoco cabe en un prostíbulo, primero parió un varón que se le murió al nacer, no llegó a tener nombre, Betty Boop estaba muerta de risa porque no sabía cómo se llamaba, después tuvo dos gemelitas que vendió a un matrimonio de Redondela, son muy monas y van muy bien vestidas y alimentadas, no sé los nombres porque los padres adoptivos tampoco dan mayores facilidades, lo llevan todo con mucha discreción; Betty Boop pasa algunas temporadas en Conjo, la encierran de vez en cuando, sufre, le dan electrochoque, la escarnecen y se escapa, con la camisa de fuerza o atada al camastro te pueden escupir en los ojos y mear en la cara, en los manicomios nadie tiene defensa, ni siquiera los médicos y los loqueros, Betty Boop no parió en Conjo ni atenazada por la camisa de fuerza, casi no se puede respirar, en esto tuvo más suerte que Margaret Falmouth, la inglesa que parió en la cárcel sin que le soltaran las esposas, otros dicen que se llamaba Karen Tavistock.

—¿Y Ana Barnstaple?

—También.

—¿Y Mary Berriedale, que chupaba la sangre a los niños en los acantilados de Sennen y de Botallack?

—También, en esto hay cierta abundancia, cierta variedad.

Becky y su novio viven juntos y se llevan bien, parece que se llevan bien, al margen de cómo se lleve la pareja a esto se le llama ahora relaciones prematrimoniales, Becky y su novio no se atreven a tener hijos, les da miedo, hay casos en los que es mejor no tener hijos, yo creo que la maternidad vuelve locas a las mujeres de esta familia, las desequilibra y las trastorna, tampoco soy el único que lo cree, no hay que insistir ni ser nunca crueles; Roque Espiñeira es buen muchacho, es trabajador, tiene una conducta correcta y lleva una vida monótona y ordenada, para ayudarse da clases particulares a niños ricos que no llevan bien E.G.B. o B.U.P o C.O.U., para Dámaso Alonso vivimos en el siglo de las siglas, esto lo repetía siempre el pobre Lucas Muñoz, lo malo es que el vicioso amor a las siglas se le imponga a los españoles desde el bachillerato, física, ciencias sociales, inglés, claro, latín, con moderación, lo que sea, si algún tema no se lo sabe bien se lo repasa antes, Becky se aburre a veces pero se aguanta, el ejemplo de sus hermanas pesa mucho, Matty, cuando Becky era niña pequeña, la trataba como a una muñeca, Matty fue siempre muy maternal, más que Betty Boop. No te dejes engañar nunca por la tristeza ni por la ternura, tampoco por cualquier otra virtud de pobre, por ninguna otra virtud de esclavo, la mendicidad es un instinto y la serenidad de juicio y la sabiduría adivinada son dos de las cinco inercias de los triunfadores, las otras no se deben pregonar a los cuatro vientos, antes de la Revolución Francesa arábamos la tierra las mujeres y no los bueyes, convendría repetir constantemente esto que acabo de decir.

—¿Usted confunde o identifica al hombre con el pensamiento?

—Sí, sin duda, y se lo demostraría si dispusiésemos de tiempo, lo que no puedo es argumentar contrarreloj.

No fue Jesusa Cascudo sino Matilde Verdú la mujer que se ayudaba haciendo de señora de compañía de mi tía Marianita, a veces las cosas quedan medio confusas y conviene explicarlas mejor, Jesusa Cascudo no era muy agraciada y se tenía que conformar, ¡a la fuerza ahorcan!, con pecar sólo con el pensamiento, ni la vida ni la muerte se pueden conducir por el obediente senderillo argumental de la costumbre, Matilde Verdú tose constantemente, si no está tísica ya debe faltarle poco, Isidoro Méndez Gil, el hermano del joyero suicida, se reserva todos los derechos sobre la periodicidad y el ritmo de sus deyecciones, no es admisible que los gobernantes quieran regir nuestro más íntimo regimiento, el paternalismo no puede llegar hasta esos humillantes extremos.

—Puede usted seguir con su monótona melopea.

—Gracias, señor. Yo no soy sino una mujer de agrio y desabrido carácter, reconocer las verdades es casi siempre doloroso, pero yo prefiero pregonarlo a tragármelo, yo soy una mujer desmoralizada y con muy poca resignación a quien gustan todos los machos, pero no lo puedo decir en voz alta, declaro que soy rica en aprensiones y pobrísima en sentimientos, yo ya no puedo hacer más cosa que dejarme llevar por la vida hasta la muerte, nadie se regodea jamás bastante en el encanto de las estaciones intermedias, ya no deseo gobernar mi cabeza ni sonreír al déspota que nos perdona la vida cada mañana, sólo me queda agradecer la caridad y dejarme comer por el vergonzoso insecto de la murmuración, de la adiestrada e inclemente murmuración, yo hago oídos sordos al rumor de la mar, ese eco difuso que me acompañará aún después de muerta, no es verdad que Eva está poseída por el Enemigo Malo, el color de su piel indica que el demonio todavía no prendió del todo en su corazón, hago un verdadero esfuerzo por suponer que los más espinosos problemas pueden tener arreglo si confiamos en la infinita misericordia del Todopoderoso expresada en los clementes y reconfortadores abrazos de paz del líder, Amancio Jambrina el Bello, Amancio Villaralbo el Fuerte, Amancio Moreira el Inteligente, Amancio Sande el Perifollo, Amancio Restande el Carabinero, Amancio Codesido el Ágil, yo me llamaré para siempre y a partir de este mismo momento Adoración Cordero Chousa, hija de Fabián Espantoso Arcade, celador de telégrafos, y de Celia Naveira Loureiro, sus labores. Me basta con haber reducido a escombros mi soberbia y ya queda dicho cuanto tenía que decir.

A Sisinio, el hijo medio tonto de don Jucundiano Pérez López a quien Jaime Vilaseiro regalaba fotografías de mujeres desnudas, lo mataron de una pedrada en las leiras de Curramontes, hay piedras malditas, mozos sin suerte y accidentes desgraciados, en el bar de Xestoso todos dieron el pésame con mucho respeto a don Jucundiano.

—No era muy listo, ¡pobre criatura!, pero sí feliz; en todo caso era mi único hijo, ¡cómo le gustaban las parrochas guisadas o fritas!

La historia es un burdo tapiz, un torpe tejido

de argumentos abyectos y sentimentales bordados sobre el tosco cañamazo de la vida misma, de la más amarga y ruin vida misma, Betty Boop se había ido a La Coruña, cuando estaba demasiado ahogada y derrotada se iba siempre a La Coruña, esto que ahora se cuenta le pasó en La Coruña y vino en todos los periódicos de España, hasta en los de Madrid, Betty Boop parió en medio de la calle y riñendo y forcejeando con una señora y una pareja de municipales, un guardia hombre y el otro mujer, que querían llevársela al hospital, antes había pedido un café en el bar de debajo de su casa.

—Te lo vas a tomar fuera.

—Bueno.

Betty Boop gritaba desaforadamente y los mirones se fueron apartando.

—No me pasa nada, tampoco estoy esperando un hijo y mucho menos de parto, son los vecinos que se meten donde no les importa, sólo me duele un poco la barriga, deben ser unas ostras que comí, a cualquiera le pueden sentar mal las ostras.

Los guardias se la encontraron sentada en la acera, gritando y rodeada un poco de lejos por personas que no sabían lo que hacer, de repente le apareció el niño llorando entre las piernas, la agente cogió al recién nacido y lo apretó instintivamente contra el pecho, lo envolvió en la placenta que se había desprendido con el forcejeo y en un mantel de la cafetería y se llevaron a la madre y al hijo al hospital, al niño lo depositaron de momento en la inclusa, después Becky le arregló los papeles y se quedó con él, y Betty Boop volvió otra vez a Conjo.

—¿Le gustó la historia?

—Digamos.

Hay que creer muy parsimoniosa y solemnemente en Dios para admitir que la desnuda realidad pueda relacionarse con el ceñido pensamiento, la difunta Loliña Araújo no se llevaba bien con su nuera, Guillermina Fojo, eso no es nunca novedad porque ya se sabe, la experiencia demuestra que aquella realidad en cueros y este riguroso pensamiento caminan por senderos diferentes y quizá dispares, Ofelita Barcia, aunque era algo gastadora, tenía la cabeza muy en su sitio y no se dejó llevar nunca por la fantasía, al arte le pasa como a la ciencia y en la vida y la muerte subyace la misma pretensión, estas cuatro fuentes son exactas o reales pero no exactas y reales al mismo tiempo, toda la ternura del mundo se ahoga en sí misma y no acierta a volar libre sino en casos muy contados, cuando Gambiño emborrachó a Berta con anís dulce se sintieron muy felices los dos, lo malo vino inmediatamente después y no terminó hasta que el verdugo le puso fin, el garrote que estranguló a Gambiño está ahora en la Fundación Camilo José Cela, en Iria Flavia, al sur de la provincia, aquellas fuentes no admiten las ambas condiciones que quedaron dichas porque la realidad objetiva ha volado hace ya mucho, ha huido de la cabeza de los hombres, se le ha disuelto en la sangre y en los siete humores del organismo.

—Me hubiera gustado ser astrónomo para enviarle globos a la luna, globos con caramelos y pastillas de goma, ahora sólo puedo tirar botellas a la mar con una poesía dentro, con una rima de Bécquer o una dolora de Campoamor.

En el invernadero del chalet de San Pedro de

Nos y en recuerdo de su abuela Clara, Fran inventó flores de colores muy desusados y extraños, flores de nombre misterioso y poco conocido, esto no se adecua con cazar gaviotas volando con anzuelo, a mí me dijeron tanto Xestoso como Evaristo que había sido Fran, daría cualquier cosa por ser Dios para inventar flores y bautizarlas acertadamente y con elegancia, sentido común y buen gusto.

—¿Se siente usted descansada?

—No mucho, ¿por qué?

—No, por nada; me parecía como verla a usted un poco pálida y ojerosa.

—Sí, quizá tenga usted razón, a veces no se puede disimular la fatiga, hay hombres y mujeres que incluso presumen de fatigados.

Miquel Enric Poch i Barberà, es nombre supuesto, alias Beltranete, es apodo supuesto, también hijo, como el del remo de trainera, del primer matrimonio de mi marido, murió de sida, la poesía lírica tiene sus servidumbres, descanse en paz, la afición de Beltranete, su irrefrenable tendencia, la heredó de su madre, la primera mujer de mi marido, Julita Michaux, es nombre supuesto, que sí era lesbiana, según pude entender en determinados círculos vaticanos.

Es irritante pensar que unos rollos de papel de retrete marca La Condesita hayan podido ser la causa de esta crónica de sucesos amargos, ahora sólo falta echarle los lebreles al rastro de Matty López, si fuésemos capaces de juntar este fin con aquel principio no moriríamos nunca, el que se agarra a la rueda de la vida no deja resquicio por el que la muerte pueda colarse, la rueda es la representación de la vida eterna. Ruego encarecidamente que se me dispense de volver a narrar de nuevo el asesinato ritual de Felipa Carballo, es nombre supuesto, la segunda mujer de mi marido, yo no quiero más tratos con la policía, antes preferiría la lenta y suspiradora muerte por inanición, yo no quiero ni pensar siquiera en la sangre de Felipa poniéndolo todo dulcemente perdido. Contra lo que se piensa, no es cierto que los demonios sean machos y sirvan de correo a las mujeres, ni los ángeles ni los demonios tienen sexo, aunque a veces se les represente con atributos masculinos, minúsculos y débiles pero masculinos, Jaime Vilaseiro, el marido de Matty, es un pobre piernas que se defiende porque no lo sabe, que se va defendiendo amparado por la coraza de la ignorancia.

—Escucha lo que te voy a preguntar, Norah Jefferson la Pálida, ¿por qué sonríes a quien te da de comer?, ¿por qué te pliegas con tan manso y administrativo acatamiento a las monsergas de los poderosos de ambas especies, los efímeros, presidentes, ministros, alcaldes, y los permanentes, obispos, generales, banqueros?

—Lo ignoro, Beltrán Bonaparte el Inquieto, a mí también me defiende el estado de angélica ignorancia.

La Orensana, doscientas y la cama, se pasa las horas muertas trasegando ginebra en el bar Cartagena, el cuartel de Manolita Matueca es el bar Yenka, Manolita Matueca le da al vermú, es incansable, don Valentín el de correos practica más el tapadillo, a él no se le ve nunca por estos bares de mala nota, no tengo más remedio que mentir para que se callen Paula Fields y los ejecutivos de Gardner Publisher Co., en esto de mentir cuenta mucho el entrenamiento, hay mentiras hermosísimas y nobles y verdades herméticas y desagradables.

—¿Me crees tan miserable como para no tener más medicina que la esperanza, como dice el inglés?

—¡Otra vez el inglés! ¿Qué inglés?

—Eso carece de importancia, repara en que es lo de menos y procura responder mi pregunta.

—¡Yo qué sé!

Pichi López intentó violar a la chica de la droguería, a Luisa la de la sombrerería, a Merceditas la del estanco, a Olvido la de los cruasanes y a María Juana la telefonista de los taxis, era incansable, no llegó a violar a ninguna porque todas gritaron y se le escurrieron, pero probó suerte con las cinco y quizá con alguna más, hasta que la ferrolana Matilde lo metió en vereda fue un evidente peligro para el vecindario, si cualquier padre o hermano o novio lo hubiera deslomado a bastonazos él se habría estado quietecito, ¡vaya que sí!, ni lo dude siquiera, ése es un lenguaje que se entiende muy bien, lo que pasa es que ahora la gente ya no gasta bastón y además habla de los derechos humanos.

—Tengo en la punta de la lengua lo que dijo doña Leocadia cuando falleció tu tía Marianita, yo creo que puede venirme a la cabeza en cualquier momento.

—Ya me alegraría, era como un juego de palabras muy chistoso.

Lo más probable es que a Guillermina le gusten las mujeres, pero yo en eso ni entro ni salgo, Guillermina me regaló tres rollos de papel de retrete del bueno y yo le estoy muy agradecida, cada cual es como quiere y tiene las aficiones que quiere y eso no le importa a nadie, además debo decir que las lesbianas no perfeccionan sus naturales inclinaciones hasta que persiguen mujeres bellas y tontas, sólo entonces podrán darle la vuelta al sexo de su cabeza como a un calcetín. Isolino Cospindo, el cojo del Gobierno Civil, trata muy bien a su señora, le compró una cafetera de peltre con su primer sueldo, la lleva al cine de vez en cuando, los domingos del verano la saca de paseo y la obsequia con un cucurucho de vainilla o de coco en La Ibense, la ayuda a lavar los platos, le baja la basura a la calle, la verdad es que Isolino es un cojo muy apañado, muy respetuoso y cariñoso con Remedios, su señora, la de la mercería del Campo de la Leña, que también presta a usura para ayudarse.

—Lo veo muy meditativo, ¿usted cree que los grandes crímenes se preparan siempre en silencio?

—Sí, se preparan y se perpetran, el alboroto distrae a los criminales, les puede restar concentración, repare usted en que un criminal necesita mucha paz.

—Sí, eso sí, ahora que me lo dice me doy cuenta, yo siempre lo había pensado, pero nunca acerté a expresarlo.

Matty se equivocó no casándose con Hans Rückert, aunque hubiera tenido que irse a Denver, Colorado, tampoco es el fin del mundo, Jaime Vilaseiro es un pobre hombre al lado de Hans Rückert, las bodas con estos mierdecillas de escalafón suelen salir mal casi siempre, las mujeres acaban despreciándolos y se refugian en un amante que es por el estilo, así no mejora nadie su situación, más bien empeora lo que tiene ya muy difícil arreglo, cuando la vida se convierte en un callejón sin salida, ¡mala cosa! Julito Hermoso tiene los ojos azules y le da grasa de caballo al garrote para que no se oxide y resbale con suavidad, Matty es muy aficionada a la poesía, se sabe muchos versos de memoria, los hombres no valoran la sensibilidad, esto no es cierto, pero sí es costumbre decirlo, Jaime Vilaseiro es muy ordinario y desconsiderado, una no tiene por qué enumerar los defectos de nadie, pero Jaime Vilaseiro es muy soez y hortera, Matty no pega nada a su lado, Salustiano Balado Abeijón es maestro ínfimo de la Escuela de Albores, Matty le obedece con los ojos cerrados, Matty se desnuda y Salustiano la fecunda con la semilla del bien y la verdad, ya se dijo que Matty y Jaime Vilaseiro acabaron separándose y que el juez le dio la custodia de los niños al marido, Matty está hecha una ruina, esto también se dijo, no ha cumplido los cuarenta años y ya parece una anciana y además sucia.

Me escudo en el más paciente de todos los ascos, en la más heroica de todas las náuseas, y declaro con absoluto rigor que he desobedecido la norma hasta el límite de mis fuerzas, hasta la frontera misma de mis posibilidades, mi marido y yo pedimos a Dios, decimos a los santos del cielo y exigimos a los hombres que se nos dé la razón, la pena a la que se nos condena es a todas luces desproporcionada con nuestro pecado, ni mi marido ni yo somos herejes, ni apóstatas, ni blasfemos, mi marido y yo siempre hemos creído en el Padre, siempre hemos proclamado nuestra fe en el Hijo y siempre hemos defendido al Espíritu Santo de las asechanzas de la impiedad, mi marido y yo preferimos el garrote a la cruz de San Andrés, es mejor que se rían de uno a que lo apedreen.

—¿Usted cree que los asiduos a los tés de doña Leocadia conocían sus devaneos?

—Perdóneme, pero me reservo la respuesta, yo prefiero no opinar sobre lo que no me incumbe y además doña Leocadia es amiga mía, buena amiga mía.

El demonio Lucifer Taboadela cría gusanos de seda en Escornabois, le gusta vestir bien y se niega a usar productos arficiales o sintéticos, la seda natural es inigualable. Javier Perillo se acostaba con doña Leocadia, con Clara Erbecedo y con Dora, la de don Leandro, este amor fue menos permanente que los otros, la verdad es que no fue sino un amor esporádico, Dora le pagó los dos últimos plazos de la moto y Javier Perillo quiso corresponder. Matty ni fuma ni bebe, jamás fumó ni bebió, Matty no es viciosa, siente cierta atracción por los hombres, los obedece con los ojos cerrados, pero no se puede afirmar que sea viciosa, no estoy diciendo que sea la Virgen María, pero tampoco la reina Cleopatra.

—¿Usted, don Severino, cree que el Deportivo podrá quedar campeón de Liga algún año?

—¡Anda! ¿Y por qué no?

En aguas del muelle de Calvo Sotelo Norte, casi en el ángulo que forma con el muelle de la Batería, apareció flotando el cadáver de un niño en traje de baño, debía llevar ya varios días muerto porque estaba medio comido por los peces y las medusas, a la policía no le costó demasiado trabajo identificarlo, José María Renedo Medina, de once años, natural de Valladolid, había venido con sus padres y sus hermanos a veranear, se ahogó en la playa de Santa Cristina, tuvo mala suerte porque ahí no le pasa nunca nada a nadie.

—¿Usted cree que los ferrolanos son más animosos que los coruñeses?

—¡Hombre, no sé! ¡Habrá de todo!

—¿Y que los padroneses?

—No, eso no, eso salta a la vista que no.

Lisardo Toxosoutos Méndez, el conductor de la funeraria El Crisantemo, había dos, el otro se llamaba Florentino Ferreiro Lindín, era amigo de Evaristo, solían tomarse unos vasos juntos todas las tardes, Lisardo ayudó en alguna ocasión a Evaristo a llevar al manicomio de Conjo a Mary Carmen, la tía de Matty y Betty Boop, Mary Carmen también se pasaba temporadas en Conjo, es frecuente que algunas enfermedades vayan por familias, el cáncer, la locura, la lepra, otras no, la sarna, la tiña, la blenorragia, no se pueden dar normas generales, es cierto, pero sí aproximadas.

—Es la segunda vez que se lo pregunto, ¿usted cree que Pichi es feliz con Matilde?

—No lo creo, pero eso no se sabe nunca, eso no lo sabe nadie, a veces ni el interesado siquiera, es la segunda vez que se lo digo.

Hay dos clases de locura, a cual peor, las dos pueden ser leves pero también graves, locura de la cabeza y locura de la conciencia, en algunos casos ambas se pueden presentar entreveradas, mechadas.

—¿También recíprocamente embutidas?

—Quizá no tanto.

Betty Boop padece locura de la cabeza y Matty enfermó de locura de la conciencia, ambas producen mucho dolor en torno.

—¿Y no dan risa a nadie, puede usted asegurarme que no dan risa a nadie?

—No, salvo a los muy herméticos o muy civilizados.

Los locos de la cabeza, en los casos graves, dicen que son Alejandro Magno o Napoleón Bonaparte, si son varones, y Helena de Troya o madame Curie, si son mujeres.

—¿Y no varían?

—Sí, mucho, pero yo estoy citando sólo los ejemplos más tópicos y con mayor incidencia en el registro.

En los casos leves, estos locos se creen Nuvolari o el general Franco, y María Pita o Tórtola Valencia, según el sexo.

—¿Y doña Emilia Pardo Bazán?

—Sí. Y Rosalía de Castro, sobre todo entre gallegas.

A las hienas se les barren los malos pensamientos devorando gacelas muertas y medio podres, los pensamientos, tanto los buenos como los malos, no se borran jamás de la cabeza, cuando incomodan basta con barrerlos para que se los lleve el viento terral camino de la mar abierta; las leonas, que son de sentimientos más generosos y decentes, persiguen gacelas vivas y ágiles y sólo las muy viejas llegan a criar malos pensamientos.

—¿Se encontró usted un carnero con cintas azules y encarnadas?

—No, ¿por qué me lo pregunta?

—No, por nada, era para darle el teléfono del dueño, se ofrece gratificación, viene en *La Voz de Galicia*.

El juez mandó llamar al loquero Chus Chans Chao y le preguntó acerca de Mary Carmen y algunas circunstancias.

—¿Conoce usted a la enferma Vicenta López Erbecedo?

—Sí, señor.

—¿Tuvo usted acceso carnal con ella alguna vez?

—¿Mande?

—Que si se acostó usted con ella.

—Sí, señor, puede que sí.

—¿Le es posible ser algo más preciso?

—No, señor.

Los locos de la conciencia, en los casos graves, se sienten san Juan Bautista o Poncio Pilatos, si son hombres, y santa Ana o María Magdalena y hasta en ciertas ocasiones la esposa de Lot, si son mujeres. En los casos leves los hombres se proclaman el Papa de Roma, sin mayores señalamientos, o Gandhi, y las mujeres Carolina Otero o la Monja de las Llagas o Agustina de Aragón cuando el sitio de Zaragoza o sea antes de regentar una casa de lenocinio en Ceuta.

Los reseñados suelen ser los casos más frecuentes, aunque también puede haber variaciones según los gustos y criterios. Doña Mencía y la mamá de Adelita la poetisa son dos descaradas que las matan callando, estas golfas de oficina pública son las peores, además doña Mencía tiene amores sacrílegos, todo el mundo lo sabe.

—¿Está usted en lo cierto?
—Bueno, digamos que estoy en lo probable.
—¿Y en lo posible?
—Más aún, eso se le ocurre a cualquiera.

Don Severino es amigo de las dos y les tira de la lengua para que le entere cada una de las cochinadas de la otra.

—Muchas cuentas va a tener que dar a Dios don Severino.

—No te preocupes porque sabe que Dios es un infinito chorro de paciencia y misericordia.

Me duele tanto como me indigna el tener que admitir que las mujeres no tengamos historia, me subleva la pasividad de los hombres y el desinterés de las mujeres; los locos de la cabeza no sufren más que los locos de la conciencia, quizá padezcan menos porque no les vacía el pensamiento ni la vecindad de Dios ni los enfermizos caprichos de los elegidos.

—¿Usted sabe que se pueden capar adolescentes obligándolos a tocar valses ingleses, el *Vals de las velas,* el *Vals de las horas,* en la flauta dulce?
—No, no lo sabía.
—Pues sí, como usted lo oye.

A los locos no se les puede crucificar porque se desclavan solos, los romanos ya ni lo intentaban siquiera porque, ¿para qué?, cuando se tienen que regir unos vastos dominios no se puede andar perdiendo el tiempo.

En torno a la Torre de Hércules, donde más bate la mar y sopla el viento, crecen unas florecillas moradas cuyo nombre ignoro, quizá Fran pudiera decirme cómo se llaman, pero hace ya algún tiempo que no lo veo, antes aún le echaba la vista encima de cuando en cuando pero ahora no, desde que es Simón Pedro no se deja ver por lado alguno.

—Me hubiera gustado depositar un ramito de estas flores silvestres sobre tu tumba, pero no fue posible porque tú no estás muerta todavía, se deben respetar siempre los confusos y aun inescrutables designios de Dios, aunque a veces sean entorpecedores, y los plazos de los hombres que sueñan apoyándose en la esperanza de la muerte. No todos los muertos tienen tumba propia, reconocida y registrada, los hay que se pierden en la tierra, o flotan en la mar, o son incinerados, o los disecan los padres, o los guardan en formol, o van a la fosa común, pero sí todos los vivos carecen de ella o al menos no la usan, la tienen no más que de remembranza de una decisión que la familia no entendió del todo o como inversión, algunas personas son muy previsoras, el precio del palmo cuadrado de tierra de muerto crece todos los días, también la tumba horra sirve para adormecerse fantaseando futuras pompas fúnebres solemnes y aparatosas, administrativas y protocolarias; hay quien compra un nicho para suicidarse con barbitúricos y champán mientras contempla por última vez, a la luz de un candil de aceite, su colección de postales pornográficas heredadas de algún abuelo, a mí me hubiera gustado dejar un ramito de estas flores silvestres sobre tu tumba, pero no fue posible, ya te digo.

El conde de Barcelona disuelve su consejo privado, presidido por don José María Pemán, y su secretariado político, presidido por don José María de Areilza, conde de Motrico.

—¿Alguna de ustedes sabe en qué dos categorías clasificaba Rutherford a la ciencia?

—Sí, señorita, todas menos Pilarín.

Don Severino Fontenla y don Severiano Franqueira, ambos curas castrenses, tampoco sabían la clasificación de Rutherford, la mayor parte de la gente la ignora, a don Severino y a don Severiano lo que les interesaba de verdad era el viaje del hombre a la Luna.

—¡Mira tú que si al final todo es una broma de los periodistas!

—Hombre, ¡no sé!, yo no creo que puedan mentir tanto.

—No te fíes, son capaces de todo.

Hace cincuenta años se fundó en La Coruña el club de fútbol Bolcheviki, que no duró mucho, Rutherford clasificaba a la ciencia en dos grandes categorías, física y filatelia, don Severiano padecía de la próstata y no podía decir misa por si le atacaba la incontinencia de orina.

—Pero, hombre, ¿por qué no te operas?

—Sí, no voy a tener más remedio.

A la Caralluda de Valadouro la soltaron a los quince o veinte días del botellazo al cabrito e invitó a todos a anís y a melindres de Melide.

—¿Y a piñonatas de Betanzos?

—No, ya no se hacían.

La Caralluda se gastó casi mil pesetas en convidar a las compañeras y a los clientes, hay gente a la que no le cuesta nada ser espléndida y agradecida.

—¡Viva la libertad!

—¡Cállate, mujer, no vaya a ser que te prendan!

A don Severiano lo intervinieron en el Hospital Militar de Marina del Ferrol del Caudillo el mismo día que las Cortes, a propuesta del jefe del

Estado y con diecinueve votos en contra, proclamaron a don Juan Carlos de Borbón y Borbón como la persona llamada, en su día, a sucederle a título de rey, a don Severiano lo operó el teniente coronel Bernáldez, don Casio Bernáldez, médico de la Armada, que era un urólogo muy responsable.

—¿Usted cree que el demonio se mete mucho en las cosas de los hombres?

—No le quepa la menor duda, todo lo que Dios le deja, el demonio es incansable, es infatigable y no ceja ni un solo momento en sus propósitos, el demonio está siempre dispuesto a comprar el alma del primero que se la quiera vender.

Baldomero Calvete, el sacristán de Santa Lucía, es muy moderno, pero cree en el demonio, se pone un fular para salir de paseo pero cree en el demonio, Baldomero Calvete se sabe la *Historia de España* del padre Mariana de pe a pa, Fabio Couto Martínez, corresponsal volante de la Agencia Efe, era primo de primos de Matilde Verdú y había estado estudiando para cura en el seminario de Orense, yo creo que llegó a cantar misa, Fabio Couto era medio filósofo y medio político, pero tampoco se atrevía demasiado a hablar, a su amigo Baldomero Calvete le gustaba mucho su conversación.

—A mí me parece que la honradez, como el culto a la verdad, el valor físico y la memoria, son características con las que puede nacerse, sin duda, pero que también pueden ser adquiridas y acrecentadas en los veinte primeros años de la existencia, apoyándose en la voluntad puede llegarse a la levitación, a vencer en la lucha contra el demonio e incluso a conservar la vida hasta los ciento treinta años o más.

—¿Tú crees?

—¡Y tanto que lo creo!

En una buhardilla del Cantón, mismo frente al Obelisco, en la casa de la peluquería de Victoriano, vive una señora mayor, de unos setenta y tres o setenta y cinco años, muy pintada, a la que llaman nada menos que Mesalina, a mí me parece que es un nombre muy exagerado, Mesalina vive muy estrechamente de una pensión que nunca fue ni siquiera holgada y se ayuda cuidando viejos enfermos, haciendo a mano y con unas plantillas posaplatos y posavasos de estaño, dibujos geométricos, volutas jónicas y margaritas, y decorando ceniceros con vitolas de puros y sellos de Bosnia y Herzegovina, tenía muchos, a Mesalina le ayuda con cierta frecuencia una señora como ella pero en rico, le llaman la Muñeca Mecánica, viuda de un funcionario o de un militar, me parece que de un militar, que lleva peluca pompón rubia, los ojos de un azul nacarado intenso, las ojeras sombreadas del mismo color, las pestañas postizas y muy largas, las uñas lo mismo, los labios de rosa fuerte o naranja quemado, en forma de corazón y muy perfilados, Mesalina y la Muñeca Mecánica son buenas amigas pero no íntimas porque tampoco hay por qué no guardar las distancias, la Muñeca Mecánica va siempre bien perfumada y enjoyada, viste de forma muy llamativa y lleva zapatos de vedette, cuando los trajes y los zapatos se le quedan algo viejos se los regala a Mesalina, el guardia municipal Pepiño Méndez, el que está de servicio en la esquina de Juana de Vega con la calle de San Andrés, las saluda siempre con mucho respeto.

—Adiós, señorita Margarita, siga usted bien. Adiós, doña Consuelo, que usted lo pase bien.

A Mesalina le gustan mucho las plantas y en el tejado tiene cinco o seis tiestos con marijuana, esto no lo sabe nadie; Mesalina sueña con flores misteriosas y de colores raros y difíciles, flores verdes y azules y anaranjadas de nombres secretos o poco conocidos y propiedades mágicas, el piragüista Cándido Julián la invita algunas tardes a merendar chocolate con churros en el café Oriental, a veces se les suma Urbano Lugrís, que es un gran pintor, que es muy inteligente y ocurrente, también muy alto, su padre escribió una *Gramática do idioma galego,* A Cruña, Imprenta Moret, Galera 48, 1931, Cándido Julián le puso nombre por entretenerse a las flores inventadas por Mesalina, las hizo figurar muchos años más tarde en el prólogo que lleva el *Alfabeto fantástico,* un libro muy bonito editado por la Biblioteca Nacional.

—¿Guarda usted en la memoria todos los dictados de su conciencia, incluso los más remotos y minúsculos?

—No, ya no, la verdad es que se me han olvidado ya muchos, los años no perdonan.

Nuestro líder se llama Amancio, hablé de seis de sus corporalidades y me faltan otras cinco para cerrar el aro del Supremo Bien Desnudo, Amancio Lameiro el Santo, Amancio Serantes el Bendecido, Amancio Centoira el Valeroso, Amancio Caamaño el Desmemoriado y Amancio Chouciño Pasandín el Sabio, todos son parientes de san Aniano bendito, luz, ayuda, fuerza y fe, paz y bien, cuando invoquemos e imploremos a nuestro líder en cualquiera de sus once advocaciones deberemos pensar y hablar siempre expresando los nobles conceptos primordiales con letra inicial mayúscula, es difícil pero no imposible, sólo así no le faltaremos al respeto ni desataremos su ira.

Cuando a un hombre se le oscurece el pensamiento se vuelve paradójico.

—¿Y reiterativo?

—No, eso no de una manera obligada.

A la mujer le pasa menos, cuando a una mujer se le nubla el sentimiento empieza a pensar como un hombre y a portarse como un perro, la ley de Herbrandston no admite excepciones, ninguna ley admite excepciones, pensar lo contrario supondría atentar contra el espíritu mismo de la ciencia.

—¿Los dioses pueden escapar a los mandatos de la ciencia?

—No todos, tan sólo los dioses mayores y más maduros.

Julián Santiso va un par de veces al mes, quizá cinco cada dos meses, al piso que tiene en Santiago, en la calle de Romero Donallo, y que huele a humedad y a marijuana, los dos olores están ya pegados a la paredes y dibujando muy extrañas figuraciones, una nariz, una mujer, una puesta de sol, un ahorcado, allí se reúne con sus compañeros/as de salvación y hablan palabras y palabras, Julián Santiso traza en un papel los mensajes y las órdenes que le dicta el Sumo Arquitecto, su mano es llevada por el mismo Sumo Hacedor y no por ningún siervo mortal, y va dejando su huella sobre el papel, Julián Santiso escribe con los ojos cerrados porque el Altísimo le guía con su sabia y serena benevolencia, Dios dispone de las vidas y las muertes y no titubea jamás, las benditas ánimas del purgatorio ofician de despertador al durmiente que tiene que ir a la oficina, pero no ayudan a ahuyentar los sueños pecaminosos, para ello debe pedírsele ayuda a san Cipriano poniéndose de rodillas entre una vela blanca y un ramo de olivo, después se tomará un baño con veintiún claveles también blancos, agua de colonia, azúcar y amoniaco, todos los aliados son buenos para luchar contra el comunismo y las ideas disolventes, amén, a fines del mes de julio de 1969, mientras don Juan Carlos presta juramento ante las Cortes y los astronautas del Apolo regresan a la Tierra, a los rusos se los llama cosmonautas, Julián Santiso reúne una noche en Santiago a sus más leales seguidores, Salustiano Balado Abeijón, también maestro ínfimo de la Escuela de Albores, caminemos hacia la paz blanca y espiritual, Ana María Monelos, la viuda del joyero que se tiró por la ventana, en una bolsa de seda verde mete un trozo de pergamino con tu nombre escrito en letra redondilla, tres clavos de carpintero de ribera usados, una siempreviva, trece cabellos de tu propia cabeza y una estampa de santa Elena, pídele que aleje de ti la histeria, la neurastenia y el mal de amores, el favor debes pagárselo regalando una cruz de Caravaca a una doncella noble, también Fran o sea Simón Pedro,

Confío en ti, san Expedito,
para que con tu mano bienhechora
me des lo que necesito,

Betty Boop que se escapó otra vez de Conjo, no es difícil porque hay poca vigilancia y la tapia se salta con facilidad, encomendándose a santa Florentina se puede huir de los manicomios tantas veces como se quiera, su otra hermana, Matty, los lebreles dieron pronto con su rastro, Matty se hartó de vivir con las amigas, Julián Santiso siguió hablando, vosotras sois las hembras a las que fecundaré con la semilla de la verdad y de cuyo vientre nacerá como un fruto maduro el Nuevo Mesías que alumbrará el universo, amén, Matty lleva algún tiempo viviendo en Santiago con otro derrotado, a mí me parece que se llama Joaquín o Isaac, no estoy segura, el apellido no lo sé, Joaquín o Isaac también está esa noche, él y Matty no se separan nunca, gracias santa Isabel, ayuda y fe, que mi pareja junto a mí siempre esté, los siete bebieron, fumaron porros y tomaron pastillas, alejémonos del alcohol, del tabaco y de las drogas, pero no en la Última Cena de los Sacrosantos Lazos de la Muerte, amén, el Día del Sacrificio se pueden alterar las costumbres, vosotros tres sois los machos a los que penetraré con mi verga potentísima si ésa es la voluntad del Señor de las Alturas, amén, todos estáis señalados por el dedo de Dios Todopoderoso, amén, recitemos el mantra hasta que nos vayamos quedando sin fuerzas, amén, desnudaos y tendeos en el suelo para que yo pueda gozaros si ésa es la orden y el generoso mandato del Apóstol de Oregón, amén, no penséis con vuestra débil mente huérfana, amén, ni confiéis en el azar, amén, desnudaos y tendeos sobre el suelo para que vuestra sangre que va a derramarse nos lama las carnes y devuelva la salud a vuestras conciencias, amén, obedecedme siempre porque no soy yo sino Él quien habla, amén, vais a acceder a la paz blanca y espiritual, a la paz blanca y espiritual, a la paz blanca y espiritual, amén, respirad hondo como os tengo enseñado, respirad íntegramente para que la brisa de los dioses oree vuestros espíritus, amén, obedeced y vaciad vuestras mentes, que el hatha yoga os ilumine, amén, comed de la mano de vuestros maestros y danzad al ritmo de la divina zambomba mágica que taño en representación de nuestro Apóstol, amén, cantad y meditad, cantad y meditad, cantad y meditad, cantad y meditad, cantad y meditad, que no está lejano el momento en que os calléis para siempre, amén, a ti, Matty, te hablo y a ti (no se pudo entender bien si dijo Joaquín o Isaac), te recuerdo que debes sacrificarte en aras de la obediencia que me debes porque por mi boca habla el Todopoderoso, aleja de tu mente los convencionales respetos humanos, a ti, Matty, te digo, desnúdate, ya estás desnuda, y tiéndete en el suelo, ya estás tendida en el suelo, para que yo pueda vaciar en tus entrañas la semilla que jamás germinará en tu vientre señalado porque el tiempo se nos acaba a todos, amén, tú eres la mujer elegida y debes alejar de tu espíritu todo miedo, todo temor insano, entrégate como una fruta madura y de dulcísimo sabor para que la voluntad del Sumo Arquitecto pueda germinar en todos nuestros corazones, amén, calienta un balde de agua para templar el baño de inmaculada agua de rosas de Jericó que prepararé para celebrar nuestra fusión con los designios del Altísimo, cuando el agua esté caliente no cierres el gas, sopla la llama, tú, Matty, sabes de sobra que el Altísimo, en forma del Apóstol O'Hara, está enamorado de ti y se vale de este maestro ínfimo, maestro miserable, para expresarte sus sentimientos, Matty lleva ya mucho tiempo llorando, muchos años llorando, y tiene los ojos hundidos y secos, no se le humedecen más que cuando llora, parpadea constantemente y sonríe como si hubiera visto u oído o sentido algo agradable y delicioso, a ti, Matty, te sigo diciendo mi palabra, te poseeré en el baño porque ésa es la voluntad del Dios de todos los dioses, amén, respetuosamente, amén, tampoco cierres los grifos del baño, deja que el agua corra, cuando accedamos al orgasmo córtate las venas de la muñeca con esta hoja de afeitar, yo haré lo mismo, tened cada uno de vosotros vuestra hoja de afeitar para imitarnos, cortaos las venas cuando veáis que nosotros lo hacemos y seguid cantando para entrar en el Más Allá complaciendo al Todopoderoso, amén, todo debe ser muy firme y suave, somos unos pecadores privilegiados porque nuestro sacrificio borrará nuestros pecados, amén, cerrad los ojos para que no se rompa la cadena plutoniana y piramidal del magnetismo de los elegidos, amén.

Todos obedecieron, Fran titubeó un momento pero también obedeció, el primero en morir fue Salustiano Balado y el último Julián Santiso, es un dato de comprobación difícil, todos se fueron quedando dormidos, dulcemente dormidos para siempre, todos dejaron de cantar poco a poco y después dejaron también de respirar, a nadie le pasó por la cabeza la idea de la deserción, Fermín Corgo, un practicante que vivía en el piso de abajo, vio que por la escalera bajaba mucha agua ensangrentada, se asustó y llamó por teléfono a la policía.

* * *

Aquí termina esta crónica de un derrumbamiento, también se me acabó el último rollo de papel de retrete, las gaviotas se asustaron al ver volando juntas a tantas almas ensangrentadas y se metieron en Santiago, llegaron de La Coruña y de Corcubión, de Noya, de Muros, de Villagarcía, de todas partes, se posaron en las torres de la catedral, en los alares, en los tejados, en los árboles, en los bancos de los paseos, en todos los sitios, jamás se vieron tantas gaviotas en tierra adentro, gaviotas a terra, mariñeiros á merda. Aquí somos todos marineros.

FIN

Finca El Espinar
Guadalajara
Primavera de 1994

NOVELAS GALARDONADAS
CON EL PREMIO PLANETA

1952. EN LA NOCHE NO HAY CAMINOS. *Juan José Mira*
1953. UNA CASA CON GOTERAS. *Santiago Lorén*
1954. PEQUEÑO TEATRO. *Ana María Matute*
1955. TRES PISADAS DE HOMBRE. *Antonio Prieto*
1956. EL DESCONOCIDO. *Carmen Kurtz*
1957. LA PAZ EMPIEZA NUNCA. *Emilio Romero*
1958. PASOS SIN HUELLAS. *F. Bermúdez de Castro*
1959. LA NOCHE. *Andrés Bosch*
1960. EL ATENTADO. *Tomás Salvador*
1961. LA MUJER DE OTRO. *Torcuato Luca de Tena*
1962. SE ENCIENDE Y SE APAGA UNA LUZ. *Ángel Vázquez*
1963. EL CACIQUE. *Luis Romero*
1964. LAS HOGUERAS. *Concha Alós*
1965. EQUIPAJE DE AMOR PARA LA TIERRA. *Rodrigo Rubio*
1966. A TIENTAS Y A CIEGAS. *Marta Portal Nicolás*
1967. LAS ÚLTIMAS BANDERAS. *Ángel María de Lera*
1968. CON LA NOCHE A CUESTAS. *Manuel Ferrand*
1969. EN LA VIDA DE IGNACIO MOREL. *Ramón J. Sender*
1970. LA CRUZ INVERTIDA. *Marcos Aguinis*
1971. CONDENADOS A VIVIR. *José María Gironella*
1972. LA CÁRCEL. *Jesús Zárate*
1973. AZAÑA. *Carlos Rojas*
1974. ICARIA, ICARIA... *Xavier Benguerel*
1975. LA GANGRENA. *Mercedes Salisachs*
1976. EN EL DÍA DE HOY. *Jesús Torbado*
1977. AUTOBIOGRAFÍA DE FEDERICO SÁNCHEZ. *Jorge Semprún*
1978. LA MUCHACHA DE LAS BRAGAS DE ORO. *Juan Marsé*
1979. LOS MARES DEL SUR. *Manuel Vázquez Montalbán*
1980. VOLAVÉRUNT. *Antonio Larreta*
1981. Y DIOS EN LA ÚLTIMA PLAYA. *Cristóbal Zaragoza*
1982. JAQUE A LA DAMA. *Jesús Fernández Santos*

1983. LA GUERRA DEL GENERAL ESCOBAR. *José Luis Olaizola*
1984. CRÓNICA SENTIMENTAL EN ROJO. *Francisco González Ledesma*
1985. YO, EL REY. *Juan Antonio Vallejo-Nágera*
1986. NO DIGAS QUE FUE UN SUEÑO (MARCO ANTONIO Y CLEOPATRA). *Terenci Moix*
1987. EN BUSCA DEL UNICORNIO. *Juan Eslava Galán*
1988. FILOMENO, A MI PESAR. *Gonzalo Torrente Ballester*
1989. QUEDA LA NOCHE. *Soledad Puértolas*
1990. EL MANUSCRITO CARMESÍ. *Antonio Gala*
1991. EL JINETE POLACO. *Antonio Muñoz Molina*
1992. LA PRUEBA DEL LABERINTO. *Fernando Sánchez Dragó*
1993. LITUMA EN LOS ANDES. *Mario Vargas Llosa*
1994. LA CRUZ DE SAN ANDRÉS. *Camilo José Cela*